文春文庫

一両二分の女

御宿かわせみ 9

平岩弓枝

文藝春秋

目次

一両二分の女

むかし昔の

一

秋の午下りのことであった。

大川端の宿「かわせみ」では、奉公人たちが一息つく時刻であった。

客の部屋の掃除はすべて終り、玄関も拭き清められて、打ち水が済んだ。

暖簾の外は、珍しいほどよく晴れて、植木屋が手入れをしている垣根のむこうを赤蜻蛉がついついと飛んでいる。

その老人が、かわせみの店へ入って来たとき、番頭の嘉助は上りかまちの台の上へおいた菊の懸崖を眺めていた。反射的に

「いらっしゃいまし」

と声をかけて、さりげなく相手の頭のてっぺんから足の先までを一瞥する。これは長年の宿屋稼業の習性というよりも、それ以前の八丁堀時代の捕方の眼に近い。

おかしい、と嘉助は感じた。

老人の年の頃は七十のなかばだろう。髪は少々ほつれてはいるが、油を補ってきちんと結ってある。着ているものも悪くはなかった。

縞の袷に茶の羽織、下に股引をつけて尻っぱしょりをしているが、草鞋ではなく草履であった。足袋は、かなりな道を歩いて来たらしく汚れている。腰に小さな風呂敷包を巻きつけているが、笠も杖も持っていない。

旅というよりは、ちょいと遠出をしたという恰好であった。

老人の人品骨柄は卑しくなかった。

ごく自然に上りかまちへ腰を下す。

「お吉はいるかね」

嘉助は、あっと思った。この客が女中頭のお吉の知り合いとは予想もしなかった。

「只今、出かけて居りますが、間もなく戻って参ります。少々、お待ち下さいますか」

嘉助の言葉に老人は軽くうなずくと、いきなり草履を脱いだ。そのまま、すたすたと奥のほうへ歩き出したので、嘉助は仰天した。

「お待ち下さいまし。どちらへお出でなさるので……」

だが、老人は勝手知ったように廊下を曲って、とっつきの部屋の入口をまたいだ。

そこは梅の間であった。部屋の中は掃除が済んで、座布団と手あぶりの火鉢がいい具合においてある。無論、客は入っていなかった。

老人は縁側の障子を開けはなし、庭を眺めるようにしてから、続いて入って来た嘉助をふりむいた。

「ちょっと来ない間に、随分と様子が変ったね」

「左様でございますか」

梅の間のある一角はかわせみの中では古いほうの建物であった。庭の様子が変ったといわれても、植木が少々、増えたくらいで、石燈籠やつくばいの配置は以前のままである。

「かまわないでいい。今日は急がないからね」

座布団を自分で持って、縁の近くへすわった。柔和な表情で、なつかしそうに庭を見回している。

そんな様子をさりげなく窺って、嘉助は廊下へ出て、手を叩いて女中を呼んだ。

「お吉さんの知り合いのお客様だ。お茶を持って来なさい」

若い女中にいいつけておいて、自分は部屋の違い棚から煙草盆をとって、老人の傍へ行ってすわった。

「失礼でございますが、御隠居様は、いつ頃、こちらへおみえになりましたので……」

以前とは模様が変ったといったことに対する問いであった。

相手は腰から煙草入れを出して、ゆっくり煙管に刻み煙草をつめている。

その煙管も刻みも、上等のものであった。

「そうだねえ、どのくらい来なかったか……この前、来た時はそこの梅が咲いていたが……」

庭の老樹であった。るいがここを買ってかわせみを開業する前から、そこにあった白梅である。

「そういたしますと、今年の春のことで……」

「そうだねえ」

おかしいと、嘉助は油断のない眼を老人にむけた。

今年の春にやって来た客なら、嘉助に見おぼえのない筈がなかった。

かわせみの客は勿論、一度、会った人の顔を金輪際、忘れないのが、嘉助の自慢であった。

八丁堀時代からの鍛練のたまものでもある。

お咲という女中が茶菓を運んで来た。

「お客様は、お吉さんとどのような御関係でございますか」

嘉助の重ねての問いに、老人は口許を軽くほころばせただけであった。煙草の白い煙がその口から吐き出されている。

「すまないが、お前さん、こちら様のお相手をしているように……」

暗に、ここを動くなと女中に目で知らせて嘉助は部屋を出た。

「お吉の知り合いのお人がみえたそうだけれど……」

足早に帳場へ戻ってくると、るいが立っている。

どなたなの、と訊かれて、嘉助は眉を寄せた。

「それが、ちっとばかり、おかしゅうございますんで……」

大体お吉の親兄弟の顔は、嘉助も承知している。

「親類の人とか……」

「そうかと思ったんですが、どうも様子が変です」

入って来た時からの態度を話しかけたところへ、当のお吉が帰ってきて

「あたしにお客って、誰です」

不思議そうに訊いた。

「とにかく、ちょっとお出で……」

嘉助がお吉を伴って、梅の間へ行き、廊下からのぞかせた。

「どうだ。知ってる人か」

「いいえ、知りませんよ。どこの人なんですか」

お吉の声がやや大きかったので、老人が気がついた。すかさず、嘉助が部屋へ入り、老人にいった。

「お吉さんが戻りましたんで……」

「お吉……」

如何にも嬉しそうな老人の声で、お吉は狐につままれたような顔をした。

「お吉はあたしですけれど……どなたさんでしょう」

まじまじと老人がお吉を眺め、首をふった。

「お前さんは、お吉じゃない」

「御冗談を……あたしの名前はお吉です。親がつけてくれて、三十年このかた、使ってる名前

なんですから……」

お吉の剣幕に対して、老人は静かに繰り返した。

「いや、お前さんはお吉じゃない」

「なんですって……」

嘉助がお吉を制した。

「お客様は、手前どもをどちらかとお間違いなんじゃございませんか」

老人が唇を結んだ。

「いいや、ここはお吉の家だ」

「そうおっしゃられても困ります。あなた様のお名前は……」

「わたしは……」

名乗りかけた老人が、急に絶句した。

「あなた様のお名前をお聞かせ下さいまし」

穏やかに、嘉助が続けた。

「わたしの名前は……」

当惑したように老人が嘉助をみつめた。

「どうしたものだ。名前が思い出せない。自分の名前が出て来ないなどと……馬鹿な……」

「それでは、お住いはどちらでございましょうか」

老人の表情が気の毒なほどうろたえていた。

「住いは……はて、どこだったか……」

額ぎわに脂汗が浮び、煙管を持った手がわなわなと慄え出した。

夕方になって、神林東吾がかわせみへやって来た。

久しぶりに練兵館へ稽古に行った帰りで、三番町界隈で近頃、旨いという評判の栗の菓子の包をぶら下げている。

「すっかり秋だな」

るいの部屋の張り替えたばかりの障子と、炭火の入っている長火鉢を眺めて、どっかり座布団に腰を下す。

「お風呂を先になさいますか。それとも、お腹がうんとおすきですか」

姉さん女房が早速、つきっきりで世話を焼き、いそいそと浴衣を出して、東吾は湯殿へ下りて行った。

湯加減をみていたのは嘉助で
「畝の旦那は、御一緒じゃございませんので……」

てっきり、二人で来たと思い込んでいたらしい。

「俺一人だが……源さんに用か」

「いえ、ちっと気になるお客がありまして……」

焚口へ廻って、薪を足しながら
「どうも、年をとって、ぼけちまったんじゃねえかと思うんですが……」

自分の名前も住んでいる所も忘れてしまっている客の話をした。

「身なりからしても、人柄も、悪いことを企んで、入り込んだとは思えねえんですが、いくら年をとったからといって、自分の名前まで忘れちまうというのは、ちょっとおかしい気もしますんで……」

「どうしているんだ。そのお年寄は……」

湯の中から東吾が訊き

「どうしても、ここがお吉さんって人の家と思い込んで居りまして、待っていれば、いずれ、そのお吉さんが帰ってくると思うんでしょうか、出て行く気配もございませんので」

もっとも、自分の住んでいた場所も忘れてしまっているのでは、帰ろうにも帰る方角がわかるまいと、嘉助がいった。

「お吉ってのは、ここの家のお吉じゃねえんだな」

「へえ、同じ名前ですが、別人でございますようで……」

「お吉は、なんていってるんだ」

「あんな爺さんに知り合いはないと、もう、ぷんぷん怒って居ります」

流し場に裾をはしょったるいが入って来た。

東吾の背中を流すためで

「お吉は、あんな得体の知れない人は、早く出て行ってもらったほうがいいっていうんですけど、かなりのお年の人を、そう邪慳にも出来ませんでしょう」

今しがた、梅の間へ夕餉の膳を運んで来た時も、ぼんやり庭をみて考え込んでいたという。

「今晩ひと晩、泊めてさし上げたら、いろいろ思い出されるかも知れませんし……」

「心配するな。今夜は俺が泊って不寝番をしてやるよ」

湯上りに、東吾が庭のほうから梅の間を窺ってみたが、開けはなした障子のむこうには、嘉助のいうように人品卑しからざる老人が、ぽつんとすわっていて、どこかおぼつかない手つきで飯を食べているだけで、これといって不審なこともない。

「ひょっとすると、お吉という女のところへ訪ねて行く途中、なにかのはずみで、急にもの忘れをしてしまって、ここの家へ迷い込んだんじゃないか」

人がなにかで強い衝撃を受け、それまでのことをみんな忘れてしまうというのは、ないことではないと東吾はいった。

「そういうのは、時が経てば、以前のことを思い出すものなんでしょうか」

とお吉。

「もしも、いつまでも思い出せなかったら、あのお爺さん、いったい、どうしたらいいんですか」

「そういわれても困るが……」

るいの部屋へ戻って、酒を飲んでいると嘉助がやって来た。

梅の間の老人が風呂に入っている中に、持ち物を改めてみたが、身許を知るような手がかりは一切、みつからなかったという。

「財布には、金が十両と少々、他には手拭と懐紙ぐらいのものでございました」

「金が十両というのは少々、多いな」

老人の服装からしても、長い旅をしてきた様子はなかった。

この頃の江戸の米相場が米百俵で三十六、七両であった。

十両というのは、年寄がちょいと財布に入れて持ち歩く金額ではない。

「どうも一つ、平仄の合わない奴だな」

東吾と嘉助が、それとなく様子をみていたが、老人は風呂から上ると、女中の敷いておいた布団に横たわり、やがて低い鼾が聞えて来た。

男二人が交替で不寝番をして一夜が明ける。

無論、何事もない。

「こういうことは、餅は餅屋だ。源さんを頼もう」

使いをやって、八丁堀から畝源三郎がとんで来た。東吾が事情を話し、心得て、梅の間へ行ったが、一刻足らずで途方に暮れて出て来た。

「やはり、なにかで記憶を失ってしまったのか、年のせいで、ぼけているのか、そのどちらかでしょうが……」

どう訊ねてみても、名前も住所も思い出せない。

「はっきりしているのは、お吉という女の家へ行こうとしていたことだけです」

「お吉ってのは、なんだ。あの年寄の娘の名前か」

「手前もそう思ったのですが、どうも違うようで……当人は、ただ、知り合いだと申すのですが……」

そんな有様では、当人の商売もわからない。

「商家の御隠居さんにしては、陽に焼けていませんか」

いい出したのはお吉で

「朝、着かえているときにみたんですけど、顔と手足が、けっこう日焼けしているみたいですよ」

「百姓ではないな」

東吾がいった。

体つきも華奢(きゃしゃ)だし、手足も節くれ立っていない。力仕事をしている人間の体ではなかった。

「力仕事をしていなくて陽に焼けるってのは、なんですかね」

畝源三郎も考え込んだ。

「庭いじりや、植木いじりくらいじゃ、あんなには焼けませんよね」

といって行商ではなさそうだし、漁師という感じでもない。

「嘉助の話ですと、来た時に足袋の汚れ方がひどかったといいますから、少々、遠方から歩いて来たのかも知れませんが……」

十両からの金を持った老人が外泊して家へ戻って来ないのだから、一人暮しでもない限り、お上へお届けが出るだろうと源三郎はいった。

「手前は、これからそっちを調べてみます」

とりあえず、老人はかわせみであずかる恰好になった。

「どうしましょうねえ。もしも、帰るなんていい出したら……」

悪い人間ではなさそうだということになって、お吉は今までとは逆に、老人に同情的になった。

「帰る家を思い出して帰って行くなら、よろしゅうございますが、あてもなく外へ出て、もしも、悪い奴に目でもつけられた日には……」

懐中に大金を所持しているだけに、厄介であった。

「そんなことがないように、お吉は名前が同じなんだから、御隠居様のお話相手でもしてあげたら……」

るいにいわれて、お吉はその気になったようであった。

一日中、梅の間に閉じこもったきりの老人を相手に世間話をしてみたり、下着を用意して、着たきり雀の老人に着がえをさせ、洗濯をしてやったり、けっこう、身の廻りの面倒をみている。

老人のほうは、しきりになにかを考えているようであった。

大抵は縁側に出て、庭をみている。

「あちらが訪ねて行こうとなすった家も、庭に梅の木があるそうですよ」

二、三日して、お吉はそんな話を老人から聞き出して来た。

「お吉って女がいる家で、庭に梅の木のあるところをみつけ出したら、あちらさんの身許が知れるかもわかりません」

雲を摑むような話だが、それもなにかの手がかりになるかと、東吾から畝源三郎へ伝えられた。

が、奉行所に家出人のお届けもなく、源三郎が手札を与えている町々の岡っ引から、それらしい聞き込みもない。

「どちらのお年寄なんでしょうねえ。御家族はさぞかし、お案じなすっていらっしゃるでしょうに……」

るいが嘆息をつき、東吾は腕をこまねいた。

それから、又、四、五日が過ぎた。

その日、東吾が畝源三郎に同行して上野の広小路へ行ったのは、紙問屋で伊勢屋という大店の隠居が行方知れずになっていて、家族がひそかに探しているという知らせが入ったからであった。

いい按配に天気が続いていて、下から仰ぎみる上野の森も紅葉が赤味を増している。

伊勢屋へついてみると、一足先に来ていた岡っ引の源造というのが、しおれかえって頭を下げた。

「申しわけありません。人ちがいでございました」

伊勢屋の隠居は、つい今しがた帰宅したという。

「それが馬鹿馬鹿しくって話になりませんが、吉原に好きな妓がいて、居続けを三日もしていやがったってんですから……」

店をのぞいてみると、五十がらみのでっぷりした隠居の幸兵衛が面目なげに両手をついた。

「どうも、おさわがせ申しました」

すぐ近所に囲っている妾のことで、息子から意見をされ、かっとなって吉原へ遊びに行ったと、しきりにぼんのくぼをかいている。

「いい年をして、お上にお手数をかけるんじゃねえぜ」

源造がどなりつけたが、源三郎も東吾もまともにとり合う気もなくて、さっさと伊勢屋を出た。

「源さん、そこらで腹ごしらえをしようか」

広小路から池之端へ出たところに蕎麦屋があった。

時分どきをはずれているので店には客が二人ばかり旨そうに蕎麦をすっている。

種物に酒を一本頼み、なんとなく顔を見合せた。

「わざわざ、東吾さんに御足労を願うまでもありませんでしたな」

「そいつはおたがいさまだ」

広い江戸の中に、隠居と名のつく人間はけっこう多い。

息子と喧嘩をしてとび出す者もあるだろうし、女に入りびたって家をあける奴もいる。

年をとって頭のぼけているのもある代りには、老いて尚、矍鑠たる隠居も健在であった。

家出をした老人がいたからといって、直ちにかわせみにいる年寄と結びつけるのは早計であった。

「なんで、かわせみへとび込んだんだろうな」

盃を手にして、東吾が呟いた。

老人は、かわせみの暖簾をくぐって来て、そこで

「お吉はいるか」

と訊いたという。

「つまり、かわせみをお吉の家と思っていたわけだろう」

「理由があって、かわせみへ入って来たとお考えですか」

源三郎が首をひねった。

「なにかで頭がおかしくなったか、年のせいでぼけたかしている老人なら、ところかまわず、見境なしということもあるでしょう」

たまたま歩いて来たところにかわせみがあって、そこへ入って行ったとも考えられる。

「どちらでしょうな」

それによって判断はかなり違ったものになる。

奥から若い女が塗りの蕎麦湯挿しを持って来た。

「熱うございます。お気をつけて……」

絣の着物に赤い襷（たすき）が初々しかった。この店の娘のようである。

「源さん、もう一本、もらおうか」

東吾が徳利を手にした時、入口に人影がさした。

老婆である。髪も白く、顔中が皺だらけで体つきも若い時よりは一まわりも小さくなったと思われるのが、案外、しゃんとした足どりで店へ入って来た。

ふりむいた娘はその老婆を知っていたらしい。

「また……お婆さん……ここは違うんですよ。おせいさんって人は、もうここには居ないっていったでしょう」

老婆の前へ娘が立ちふさがった恰好になった時、娘の口から悲鳴が上った。

どこにかくし持っていたのか、老婆が出刃庖丁をふりかざして娘に襲いかかった。

東吾の手から徳利が、そして蕎麦湯挿しがたて続けにとび、源三郎が娘を突きとばすようにして老婆に躍りかかった。

二

蕎麦屋の店先で源三郎に捕えられた老婆は湯島天神の近くにある蠟燭問屋の隠居でおたきといった。

「おっ母さん、まあ、なんてことを……」

知らせを受けてかけつけて来た悴の新兵衛は、ことの次第を聞くと顔色を失った。

「あれほど、わたしがいったじゃありませんか。ここはもう、あの女の家じゃない。あの女はとっくの昔に他の土地へ行っちまって、ここの店の方は、あの女とはなんの関係もないんだとおたきは東吾が投げた蕎麦湯を浴びて、手の甲に少し火傷をしていた。源三郎が医者を呼んで、手当をさせている。

蕎麦屋の娘のほうは、幸い怪我はなかったが、恐怖のあまり、母親にしがみついて、まだ口をきけないでいる。

「なにか、わけがありそうだな」

東吾が訊き、蕎麦屋の亭主が声をふるわせた。

「その婆さんは頭がおかしいんですよ。こないだっから、うちのまわりをうろうろして、あげくの果ては店へ入ってきて、おせいを出せの、亭主を返せのと、わけのわからないことを並べて……」

店に居合せた客が、おたきを知っていて、彼女の家へ知らせ、倅がとんで来て、母親をなだめすかして連れて帰った。

「なんでも、あちらの先代の妾が、以前、ここに住んでいたらしいんで……」

この蕎麦屋が、昔、蠟燭問屋の先代主人の妾宅だったというのである。

「いったい、いつの話なんだ」

いささか憮然として東吾が訊き、おたきの息子が小さくなって答えた。

「お恥かしいことでございます。今から五十年もむかしのことで……」

おたきは八十歳、その夫の先代新兵衛は十年前に歿ったが、生きていれば八十八歳になるという。

「親父が三十六、七で、若い女に迷いまして……」

浅草の小料理屋で働いていた女といい仲になって、女房に内緒でここに妾宅をかまえさせた。

「甘酒屋をさせて居りましたんですが、やがて、お袋の耳に入りまして……」

すったもんだのあげく、親類が間へ入って女と別れさせた。

「おせいと申します、その女には手切金をやりまして、生れ故郷の下総(しもうさ)へ帰ってもらいましたとかで、その折に妾宅も売りました」

で、今、蕎麦屋になっているこの家は、その後、二度ほど持ち主が変って、五年前から蕎麦屋になった。

「そんなことは、手前共の店と近くでございますから、お袋も承知して居りました。こちらさんが、おせいという女に縁もゆかりもないことぐらい、重々、わかって居りましたんでございます」

今年になって、おたきが急におかしくなった。

「冬に風邪をこじらせまして、一カ月ばかり床につきまして、そのあたりから申すことがおかしくなり、家中が手を焼いて居りましたんで……」

なんでも汚い汚いといい出して、新しい着物や帯を井戸に投げ込んでしまったり、日に何度も風呂へ入って髪を洗い出したり、かと思うと猫の皿の飯を食べてしまったり、と奇行が続き、次第に家族の顔も見分けることが出来なくなった。

「お医者も、これは年のせいだとおっしゃいますし、治療の方法もないと申されまして……」

夏の間は木更津の知り合いのところへ保養に出したりもしていたが、あまり江戸へ帰りたがるので、先月の末に迎えに行って連れ戻った。

「そうしましたら、こちら様へ参りまして、御迷惑をおかけすることになりまして……」

おそらく、おたきの頭の中からは五十年の歳月が消えてしまって、未だに、ここを夫の妾の住む家と思い込んでいるらしい。

「この上は、座敷牢でも作って、閉じこめておくしかないと存じます」

六十を過ぎた悴が、涙ぐんでいる。

帰り道、東吾も源三郎も、なにがなしに暗い気持になった。

「女の怨念って奴なんだろうな」

五十年も前の亭主の浮気沙汰を、老いて頭がおかしくなってから思い出すというのが薄気味悪かった。

「よくよく、怨みが深かったんでしょうな」

もっとも独り者の源三郎には男女の機微がむしろ滑稽にみえるらしく
「東吾さんも、よくよくお気をつけられたほうがいいですよ」

と笑っている。

大川端のかわせみへ寄って、東吾はその話をした。

「どうかしていますよ。そのお婆さん……」

早速、口をとがらせたのはお吉で

「第一、肝腎の御亭主は十年も前に死んじまっているんでしょう。それを今更、むかしの妾宅へ出かけて行って出刃庖丁をふりまわすなんて、どうかしてますよ」

「どうかしているに違いありませんが、あわれでございますね」

といったのは嘉助で

「手前も年をとっているせいでしょうか、むかしむかしの苦しみが、老いてから、そういった形で出てくるのは、いたましい気が致します」

それは、東吾も同感であった。

夜が更けて、枕を並べてから東吾はるいにささやいた。

「俺は、るいの他に女なんぞいやあしない。間違っても、婆さんになってから庖丁なんぞふりまわすなよ」

「そんなことをおっしゃるのは、胸におぼえがおありだからみたい……」

小さく笑って、るいは東吾の腕に顔をのせた。

「梅の間のお年寄なんですけどね。今日の昼間、庭の梅の木の下で泣いていたって、お吉がいうんです」

「男泣きにか……」

「ええ、痛々しいくらいに……」

「ひょっとすると、むかしむかし、ここにあの爺さんの妾宅があったんじゃねえのかな」

冗談にいったつもりだったのに、るいはすぐに反応した。

「あたしがここを大家さんからゆずってもらった時は空家でしたの。前に住んでいたお方は深川の材木問屋の御隠居様だったとか。その方が歿って、誰も住む人がないとかで……」

「まさか、あの爺さん、材木問屋のなにかじゃねえだろうな」

「念のため、明日、大家さんに訊いてみましょうか」

かわせみの前の住人のことについてであった。

「無駄とは思うが……」

東吾がるいを抱き寄せた。

「ひょっとして、幽霊じゃねえのか」

「なにがです」

「材木問屋の隠居は死んだんだろう。あの爺さんはその幽霊……」

「いや……」

るいが東吾にすがりつき、東吾は笑いながら、そのしなやかな体を愛撫した。

「馬鹿だな、冗談だよ」

翌朝は曇り空だったが、幸い雨は落ちていない。

時刻をみはからって、東吾はるいと一緒に日本橋小網町に住んでいる地主の徳兵衛の家へ出かけた。

小網町は、八丁堀の組屋敷とは日本橋川をはさんで、目と鼻の先で、るいは

「大丈夫でしょうか。もし、どなたかにみられたら……」

東吾と並んで歩くことすら、気がかりな様子だったが

「なにをいってやがる。夫婦が連れ立って歩いて、どこがおかしい。第一、今日は御用の筋だぜ」

それでも八丁堀の側は遠慮して、湊橋を渡り、川沿いに小網町へ向った。

徳兵衛はぼつぼつ七十になろうという年にしては元気なほうで、朝っぱらから近所の者と一緒になって、溝(どぶ)さらいをしている。

訪ねて来たるいと東吾をみると、家に案内し、自分は井戸端へ行って顔や手足を洗って来た。

家族は娘夫婦と三人きりで、決して贅沢ではないが、ゆったりした暮しぶりのようであった。

東吾がざっと事情を説明して、かわせみの前の住人について知りたいというと、徳兵衛は大きくうなずいた。

「そういうお人が迷い込んだんじゃ、さぞ御心配でございましょう。おるい様におゆずりする以前の持ち主は、深川富岡町の材木問屋で飯田屋さんと申します。そちらが、御主人の姉さんで、他家に嫁いで居られたお人が晩年になって養子夫婦と折り合いが悪く、それがもとで体を悪くなすったものですから、御実家の飯田屋さんがひき取って、その人の隠居所にあそこを貸してくれといわれましてね」

建物のほうは、前に住んでいたのをそっくりそのまま、特に手を入れるようなことはなかったという。

「飯田屋に貸していたのは、何年ぐらいだ」

「左様でございますな」

奥から帳面を持って来て調べた。

「足かけ六年でございます」

女隠居が歿って半年してから、るいがゆずってもらって、今のかわせみを建てた。それから数えても、五年が経っている。

「飯田屋へ行ってみるか」

案外、出戻りの女隠居にかかわりのある人間かも知れないといい、東吾はるいをうながして小網町を出た。

「東吾様の嘘つき……」

川っぷちを歩きながら、るいが悪戯(いたずら)っぽい笑顔でいった。

「梅の間のお客様のことを、幽霊かも知れないなんておっしゃって……あそこに住んでいたのはお婆さんじゃありませんか」

「婆さんで面白くなったじゃないか」

川風からるいをかばって少し先を歩きながら、東吾が片目をつぶってみせた。

「あの爺さんは、その女隠居のむかしの恋人(いろ)だったりしてさ」

梅の間のある建物は、前からのままなのだろうと東吾にいわれて、るいは小さくうなずいた。

「少しは、手を入れましたけどね」

かわせみを建てる時、それまであった建物がけっこう風雅で、良材を使ってあったので、とりこわしをせずに、新しい建築とつなげて使えるようにした。

その部分がかわせみの帳場のところから梅の間にかけてなのである。

「あの爺さんが女隠居の恋人となると、その時分、ひそかにあの家へ忍んで来ていてさ。その習慣が、ぼけちまってから、ひょいと出て、かわせみへやって来たんじゃなかろうかってのは、どうだ……」

「でも……」

おかしそうに、るいが指を折った。

「飯田屋さんのお婆さんが歿ったのは、今から六年前でしょう。その頃、おいくつだったか知りませんけど、相手のお爺さんは、どう考えたって七十そこそこ。そんなお年で色恋が出来るもんなんですか」

たしかに、かわせみの梅の間にいる老人は七十五、六になっている。

六年前なら、七十であった。

「るいらしくもねえな。おいらくの恋ってことを知らねえのか」

苦しまぎれにそんなことをいってみたが、東吾も自分の想像がどうやら間違いとは気がついている。

大川を渡って、深川へ入ると富岡町のとばくちのあたりに、長助のやっている蕎麦屋の長寿庵がある。

若い衆がすばやく東吾をみかけたらしく、長助が仕事着のまま、とんで来た。

「お出かけで……」

「源さんから聞いたろう。かわせみの梅の間の爺さんの話だ」

「へえ、あっしも、この界隈(かいわい)で家出をしている隠居はねえかと、若い連中に訊かせて廻っていますが……」

「その件で飯田屋へ行くんだ」

「飯田屋が、なにか」

「むかしむかし、かわせみの地所に建っていたのは、飯田屋の隠居所なんだよ」

店先で、長助は前掛をはずした。

「こんな恰好で、なんですが、お供を致します」

そのほうが、東吾も都合がよかった。

深川では顔のきく長助のことである。

飯田屋は、店のほうから入らずに、すぐ裏にある住いのほうへ案内された。

先代はもう歿っていて、一人娘が養子を迎えて、跡をやっている。

娘といっても、四十なかばであった。如何にも深川育ちらしく、ざっくばらんでさっぱりした気性の女である。

「大川端の家にいた伯母さんのことなら、よく知っています」

嫁いだ先は品川の回船問屋で、夫婦仲は悪くなかったが子供に恵まれず、遠縁の男を養子に入れた。

「それが、あとになってわかったんですけど、伯母さんの亭主のお妾が産んだ子だったんで……文句をつけたくったって、その時は、もう伯父さんは死んじまっていたんですから、どうにもなりゃしません」

妾腹の息子は父親が死んでしまうと、本妻だった義母につらく当るようになった。

「かげでお妾さんが糸をひいてるんですから、たまりゃしません。結局、伯母さんは追い出されるようにして、うちへ帰って来たんです」

肉親の弟が用意をしてくれた大川端の隠居所での六年間は

「ずっと床についたきりでした。ものが食べられなくなっていて、そりゃかわいそうでしたけど、信心深い人でしたから最後まで人を怨まずに……それだけはよかったと思っています」

伯母の晩年の看病をしたのは自分だといった。

「それじゃ知っているだろう。その時分、伯母さんに親切だった男で、当時、六十の終りか、七十くらいか、そんな友達のような人間は居なかったかい」

東吾の言葉に、飯田屋のお内儀は首をふった。

「誰もいません。伯母さんにやさしくしたのは、あたしの父と、あたしと二人きりでしたから……」

「奉公人は……」

「伯母さんが他人を嫌うので、身の廻りのことは、みんな、あたしがしてました」

「すると、品川で……或いは嫁入り前かも知れないが、伯母さんを好きだった男はいなかったのか」

「いたかも知れませんが、みんな歿っていると思います。なにしろ、伯母さんが歿ったのが八十四の時ですから……」

「八十四……」

東吾が唖然とし、るいは下をむいて笑いをこらえた。

「六年前で八十四か」

「はい、今、生きていれば九十です」

早々に三人は飯田屋を辞した。

「残念ながら、飯田屋じゃなさそうだな」

自分の見込み違いを話すと、黙ってきいていた長助が、ぽつんといった。

「飯田屋の前ってことはねえでしょうか」

「飯田屋の前……」

「お嬢さんの前で、なんですが、あそこの家はむかし、妾宅だったたって聞いたことがあります」

「かわせみが妾宅だったってのか」

「へえ、お袋がそんな話をしたことがあるんですが……」

まっしぐらに、長寿庵へひき返した。

長助の母親は来年が還暦ということだが、曾孫のお守りをしてまだまだ威勢がいい。

「飯田屋さんの隠居所になる前は、あそこに黒板塀の小さな家が建ってましてね。そこの伊勢崎町に半田屋っていう明樽問屋（あきだるどんや）があったんですが、そこの主人が女中に手をつけて、まだ若くて大人しい人だったんですけど、お内儀さんの目に触れないように、大川端へ一軒持たせてたんですよ」

長助が慌てて口をはさんだ。

「おっ母、もうろくしねえでくれよ、伊勢崎町に半田屋なんて店はありゃしねえや」

「お前が知らないだけだよ。もう十五、六年も前に店を閉めちまってね」

「商売がうまく行かなかったのか」

と東吾。

「いいえ、若先生、身内に不幸が重なりましてねえ」

女房が死に、二人の子が続いて病死し、あげくの果てに妾宅の女にまで先立たれた。

「六十に近くなって、そんなふうなんで、旦那はすっかり気落ちがしてしまったんでしょう。伊勢崎町の店を人にゆずって、音羽のほうへひっ込んじまったそうですよ」

「今から十五、六年前に六十ってことは、今、七十のなかばか」

「そういうことになりますね」

「すまないが、長助、お袋さんを貸してくれ」

深川から大川端へ帰って来たのが、午（ひる）すぎで、嘉助に訊いてみると、老人は梅の間にいるという。

庭から梅の間の老人を、長助の母親にみせた。

「えらく年をおとりになっていて、よくわかりませんけど、半田屋の御主人の和兵衛さんのような気がしますよ」

知らせを受けて畝源三郎が八丁堀から来た。

長助が伊勢崎町を走り廻って、半田屋の主人は店を閉めたあと、小石川の音羽町に何軒も持っている家作の一つへ移ったことを訊き出して来た。

「小石川の音羽町か」

東吾の声がはずんだのは、最初にかわせみにやって来た時の老人の恰好が、音羽から来たとすると、合点が行くものだったからである。

草履ばきの足許は足袋がひどく汚れていたが、いわゆる旅仕度ではなかった。股引に尻っぱしょりはしていても、草鞋ではなく笠も杖も持っていない。

「行ってみるか、源さん……」

「手前も今度は本命のような気がします」

長助がお供について、小石川へ。護国寺の門前で訊いてみると、半田屋和兵衛の住いはすぐわかった。

音羽町からさして遠くもない雑司ヶ谷村で時折、畑仕事をしながら遠縁の者と暮していたという。

「それが、先月の末に不意に神かくしにあいまして、未だに行方が知れないそうで……」

三人が思わず顔を見合せた。

どうやらかわせみの梅の間にいる老人は半田屋和兵衛に間違いなさそうである。

雑司ヶ谷村は尾花の野原の中であった。

大人の背丈もあろうかという薄（すすき）が銀色の穂を風になびかせて、どこまでも広がっている。

半田屋和兵衛の家は薄の原のはずれにあった。

家の中からは線香の匂いがただよっている。

長助が声をかけると、三十そこそこの色の黒い、如何（いか）にも百姓のお内儀（かみ）さんといった女が泣き腫（は）らした眼をかくすように顔を出した。

「当家の主人、和兵衛が行方知れずというのは本当か」

畝源三郎がいい、女は頭を下げた。

「今日で、もう十五日も帰って来ません。近所の易者にみてもらったら、もう生きていねえだろうっていわれまして……」

行方知れずになった日は、老人がかわせみへやって来たのと同じ日であった。

着ているものも、顔かたちも、梅の間の老人にまぎれもない。

十両の金を持っていたことも
「仏壇のひきだしに自分の葬式料だといって、いつも十両を入れておりましたんです。それが、みえなくなっていて……」

この遠縁の夫婦は、無論、和兵衛の妾宅の存在すら知らなかった。

「早速、迎えに参ります。まあ、うちの人が知ったら、どんなに驚くか……」

女が亭主を呼びに行き、二人そろって大川端へ向うことになった。

そっちの案内は長助にまかせて、東吾と源三郎は一足先に、薄の原に出た。

いつの間にか夕暮で薄の原は風が強くなっている。

見渡す限り灰色の、それは寂しい秋の風景であった。

「和兵衛は、この寂しさに耐えられなくなったのかも知れませんね」

秋の孤独は、人生の終末を迎えている男の孤独でもあった。

妻も子も、愛人すらもあの世に旅立ってしまって、自分一人が長らえて老いを迎えている。

日に深まる秋の気配も、尾花のそよぎも、月光も、老人の心に荒涼を増すばかりだったのかも知れない。

その老いの中で、男が思い出したのは、むかし昔、自分がひそかに通っていた妾宅と、ひっそり自分を迎えてくれた女の面影だったのだろうか。

「源さん……」

少し先を歩いていた東吾が、ぽつんといった。

「男も、女も、年をとるってのは、おっかねえもんだな」

源三郎は返事をせず、ただ足を止めて東の空を眺めた。

淡く、白い夕月が空の片すみに、ぼんやりかかっている。

黄菊白菊（きぎくしらぎく）

一

三の酉（とり）のある年は火事が多いというが、この年の江戸も大火が続いた。

九月に浅草から上野、十月になって駒込、神田、日本橋と連夜のように半鐘が鳴り響いて、世上はなんとはなしに不穏になった。

町奉行所からお触れが出て、町々では夜廻りの数を増やし、火の用心の拍子木の音が俄（にわ）かにかしましくなる。

そんな或る日、深川の長寿庵の長助が、信州からいい蕎麦粉（そばこ）が届いたのでと、自分でしょって「かわせみ」の台所へ顔を出した。

蕎麦は、神林東吾の好物であった。とりわけ、寒い夜など、お吉の作る蕎麦がきが気に入っていて、畝源三郎の捕物の手伝いをした帰りには、かわせみで熱い風呂に入って

「お吉、いつもの蕎麦がき、出来るか」

と、声がかかるのが、お吉の生甲斐みたいになっている。

それを知っている長助としては

「旨え蕎麦がきは、蕎麦粉がよくなくっちゃいけませんや」

と、自分の店でも滅多に使わないような上等の蕎麦粉をせっせと運んでくる。

当然のことながら、そういう時のお吉はとりわけ愛想がいいのだが、今夜は又、格別であった。

「いいところへ来ておくれだ。今、若先生が蕎麦粉はないかって、おみえなすってね」

東吾の兄の、通之進が少々、風邪気味であまり食欲がないのを心配して、蕎麦がきでもということになったらしい。

「どうせなら、新しいのがいいと思って……」

「そいつはよかった」

いそいそと、長助が蕎麦粉を半分ほど別の袋に移しているところへ、るいと一緒に東吾が顔を出した。お吉が知らせに行ったらしい。

「助かったぞ、長助、兄上は俺と同じで、蕎麦がきが好きなんだ」

「お役に立って、有難てえです」

蕎麦粉の包は、ごく自然に長助が持った。

「八丁堀のお屋敷までお供を致します」

外は冷えていた。

昨夜の風で吹き散らされた枯葉が道のすみにかたまっている。

「長助」

歩き出してから、東吾が一足遅れてついてくる長助をふりむいた。

「俺に、用があるんじゃないのか」

「どうしておわかりで……」

「親分は正直だ。顔に書いてあらあな」

東吾がいつもの口調になって笑ったので、長助は、少しばかり気が楽になった。

普段は自分が手札を頂戴(ちょうだい)している畝の旦那のお友達ということで、懇意にしてもらっているが、これからついて行く八丁堀の神林邸は、本来なら長助の足ぶみ出来るようなところではなかった。

町奉行所の吟味方与力の職にある神林通之進は、長助からみれば「お殿様」と呼ぶような雲の上の人で、東吾はその弟なのである。

「実は、ちっとばかり、思案に余ることがございまして、ひょっとして、若先生が、かわせみにお出でなら、お智恵を拝借願えねえかと思ってはいたんですが……」

「源さんには話したのか」

「そいつが、どうも、筋違いのことでして」

東吾が屈託のない顔でうなずいた。

「いいとも、俺でよけりゃ相談とやらにのってやるよ」

「いいえ、ですが、今日のところは御遠慮申します」

神林家の冠木門が近づいて来て、長助は尻ごみしたが、東吾はかまわず、どんどん門を入って行く。

「若先生、あっしは裏へ廻らして頂きます」

あたふたと長助は勝手口へ走った。

幸い、顔見知りの老婢が井戸端にいたので挨拶をしていると

「親分、早く、こっちへ来ないか」

東吾が台所のはしから呼びたてて、慌てて入って行くと、そこに神林家の奥方様である香苗がいて

「いつも、東吾さんがお世話になりまして、また、今日は蕎麦粉をわざわざ、ありがとう存じます」

丁寧に会釈をされて、長助は魂が宙をとんだような心境になった。たて続けにお辞儀をしたあとは、東吾に肩を叩かれて

「なにをしている。こっちへ来い」

長い廊下を夢心地で歩いて、東吾の部屋へ案内された。

庭にむいた二部屋が東吾の居室らしく、文机の上の壺には黄色の小菊がいけてあって、花の香がただよっている。

女中が茶と菓子を運んで来て、長助は再び背中に汗をかいた。

「もう、誰も来ないから心配するな」

東吾が座布団に行儀悪くあぐらをかき、長助は大きな嘆息をついた。

「それとも、ここじゃ、話しにくいか」

「いいえ、そんなことはございません」

勧められて茶を一口飲み、長助はもそもそと喋り出した。とにかく、ここ二日ばかり、やいのやいのと責めたてられて、ほとほと弱り切っていた事件でもある。

「深川の、あっしの店のすぐ近くに、おみのって女が住んで居りますんで……黒板塀に見越しの松、小ざっぱりした一軒家で、女中が二人の、まあ、いい暮しむきでございます」

「妾か……」

「へえ」

「旦那は……」

「そいつが、日本橋の奈良屋の主人で……」

「豪勢だな」

分限者であった。海運業で財を成して、その他にもいくつも商売の手を広げ、いずれもが繁昌している。妾の一人や二人あってもおかしくない富豪であった。

「おみのっていいますのは、もとは深川で芸者をして居りました。奈良屋の主人が落籍して、家を持たせたのは、子供が出来たからでして……ただ、その子は本宅のほうへひきとられて居ります」

「男子か」

「へえ、銀之助と申しますんで」

ところで、先月の日本橋界隈の大火で、奈良屋の本宅が類焼した。

「まあ、あれだけの金持でございますから、焼け出されたからって、どうということはございません。早速、新しい家の普請にとりかかって居りますんですが、本宅の出来上ります間、家族はおかみさんの実家のほうへ身を寄せて居りまして、そこが白金のほうの大地主なんだそうで……」

「白金か……」

思わず、東吾が呟いたのは、彼が毎月、代稽古に出かけている狸穴の方月館から、さして遠くない土地だったせいである。

「あのあたりは、代官所の管轄だな」

「へえ、畝の旦那とは縄張り違いでございまして……」

「事件でも起ったのか」

「へえ、銀之助が行方知れずになりました」

本妻のお照と、他の異腹の兄弟達と一緒に白金へ行っていたのだが

「姿がみえなくなって、もう三日も経つそうでして……」

「いくつなんだ。その銀之助というのは」

「十六だそうです」

幼い子供ならともかく、十六歳にもなる男が行方知れずというのは、たしかにおかしかった。

「おみのが気を揉んで居りまして、ひょっとして、殺されたんじゃないかと……」

妾の悲しさで、赤ん坊の時から手放さざるを得なかった息子でも、我が子にかわりはなく、夜もねむれないほどに案じているという。

「よし、俺がおみのに会って、細かな話を聞いてみよう。場合によっては白金まで行ってもいい」

どっちみち、月のなかばからは方月館の稽古であった。

「兄上の様子をみてくるからな」

長助を残して、奥へ行った東吾が、間もなく戻って来た。

「蕎麦がきを召し上って、やすまれたそうだ。今の中に深川まで行って来よう」

恐縮している長助をせき立てて、東吾は八丁堀を出た。

一日、よく晴れたものの、大川からの風は近づく冬を思わせる。

おみのは、家にいた。

心労の余り、食も進まず、夜もねむれないとあって、すっかりやつれているが、如何にも元深川芸者らしいきりっとした美女である。

今しがた、近くの富岡八幡へ、銀之助の無事を祈願しに行って来たところだという。

「お前は、長助親分に銀之助が殺されているかも知れないといったそうだが、どうしてそう考えたんだ」

縁側に腰を下し、東吾はざっくばらんに訊いてみた。

「銀之助は奈良屋の悴ということで、赤ん坊の時から本宅にひきとられていたんだろう、けっこう、大事に育てられたんじゃねえのか」

「そりゃ、表むきは大事にされていたと思いますけど……」

おみのの声は低かったが、どうしようもないほど苛立ってもいた。

「裏はそうじゃなかったのか」

「あの子を、邪魔に思ってる人もいますから」

「本妻のお照か……」

「他にもいますよ」

じれったそうに、かんざしの先で髪の根元を掻いた。

「奈良屋の悴は、うちの銀之助一人じゃありませんから……」

「何人、居るんだ」

奈良屋徳兵衛の子であった。

「男の子ばっかり、三人で……」

傍から長助が口を出した。

「おかみさんのお照さんの子が、徳太郎といいまして、その他にもう一人、良吉というのと、ここの、おみのさんの産んだ銀之助です」

「どれが、総領なんだ」

「年は……みんな十六で……」

東吾が一瞬、あっけにとられ、おみのが泣き笑いの表情になった。

「おかしいじゃありませんか。本妻と妾と、みんな一ぺんに同じ年に男の子を産むなんて……恥さらしもいいところだ」

長助が、ぼんのくぼをかきながら注釈を入れた。

「たしかに、みんな同い年にゃ違いありませんが、産まれた順は徳太郎、良吉、銀之助だということでして……」

春に産まれた徳太郎と、秋に誕生した銀之助とでは、八カ月の差がある。

「ところで、銀之助が行方知れずになったってことは、誰から聞いた」

おみのが唇を嚙みしめるようにした。

「奈良屋の番頭さんが来たんです。昨夜から銀之助が帰って来ないが、もしや、ここの家へ来ていないかって……」

「銀之助は、よくここへ来ていたのか」

「まるで、寄りつきゃしません、おかみさんから止められているんでしょうけど、せめて盆とか正月くらい、生みの母親の顔をみに寄越してくれてもいいと思いますよ」

「銀之助だって赤ん坊じゃねえんだ。来たけりゃ、自分の足で来るだろう」

「やっぱり、お乳もろくに飲まさずに手放しちまうと、薄情になるもんですかね」

「奈良屋から、その後、なにかいって来たのか」

「いいえ、なんにも。お店のほうへ訊きにやっても、まだ、みつからないって……ひどいじゃありませんか、人一人、居なくなったっていうのに……」

果てしのないおみのの愚痴をもて余すようにして、東吾は長助の長寿庵へひきあげた。

「おみのはああいっているが、奈良屋にしたって、大事な息子のことだ。それなりに手を尽して探しているんだろう」

東吾の言葉に、長助は首をかしげるようにした。

「それはそうだろうと思いますが、何分にも、白金のことで、日本橋の普請場のほうへ行って訊いても、埒があきません」

主人の徳兵衛は商用で上方へ行っているらしいし、店の者も奥向きの話は口が重いという。

「あっしらが手をつけるにしては、身代が大きすぎまして……」

大名家へも出入りしている大商人だけに町方にも少々の遠慮があった。

「そんなこんなで、畝の旦那のお耳にも入れていませんので……」

仮に畝源三郎が乗り出したとしても、白金村は支配違いであった。

「こいつは、白金村まで出かけなけりゃ無理だろうな」

深川からの帰り道、東吾はやっぱり大川端のかわせみへ寄った。

「通之進様が御病気では、二、三日は来て頂けないとあきらめて居りましたのに……」

るいが居間へ入るなり、すがりつかんばかりで

「月のなかばは狸穴へお出かけだし、そうしたら、月の末までお目にかかれないと思って……」

涙ぐんでいるようなのがいじらしくて、東吾は忽ち、甘い亭主の顔になった。

「だから、無理して寄ったんじゃないか」

あまり、ゆっくりは出来ないという東吾にとりあえず、酒の仕度が運ばれる。

「嘉助に訊いてみたいことがあるんだ」

帳場の手があいたら来てくれ、とお吉に声をかけさせると、やがて障子のむこうから遠慮そうに
「お呼びでございますか」

宿屋の番頭の物腰が、板についた嘉助がそっと問うた。

それほど、部屋の中がひっそりしていたのだが
「かまわぬ。入ってくれ」

東吾の返事で障子を開けてみると、長火鉢をはさんでのさしむかいで、るいはせっせと土鍋に牡蠣を入れている。

「早速だが、嘉助は日本橋の奈良屋について、なにか知っているか」

盃をおいて東吾が訊ねたのは、かつて嘉助が八丁堀で、るいの亡父の下で働いていた時分、その職掌柄、日本橋界隈の大店の奥向きのことに精通していたことを思い出したからである。

「奈良屋徳兵衛でございますか」

嘉助が昔を思い出す眼になった。

「あちらは大層な分限者で、旦那はぼつぼつ五十に近いお年でございましょう。若い時分から

商売にかけては凄腕と評判で、なかなか、お派手な方のようでしたが……」

「女のほうも凄腕らしいな」

嘉助が枯れた声で笑った。

「手前が存じて居りました時分は、男盛りでもございましたから……」

「一年の中に、三人の女に三人、子供が出来るというのは珍しいな」

るいが眉をひそめ、嘉助はそっちをみないようにして顔を下げた。

「あれは、あの当時、ちょいとした噂になりましたが、ま、男ならばやってやれないことではございませんので……」

「歳月は早いものだ。そいつらが、今年十六歳だとさ」

嘉助が、少しばかり膝を進めた。

「奈良屋は先月の大火で焼けたそうですが、なにかございましたんで……」

「深川の芸者に産ませた銀之助というのが、立ちのき先の白金村で行方知れずになっている」

「白金村と申しますと、奈良屋のおかみさんの実家でございますな」

流石に、八丁堀の見る眼、嗅ぐ鼻といわれた嘉助の記憶は正確であった。

「総領の徳太郎というのは、本妻の子だそうだが、二人目の良吉の母親は誰か、知っているか」

長助に訊いた限りでは、妾の一人だろうが、名は知らないといっていたものだ。

「そいつは、あの当時でも、ちょいと噂になったものでございますよ」

同じ妾でも、銀之助の母親は深川の芸者とわかっていて、妾宅もあった。

「良吉の母親のほうは、どこの誰だか、店の者も知らねえ有様で、そりゃあ旦那とおかみさんはわかっていたでしょうが、世間にひたかくしにかくすって様子でして……」

「奉公人に手をつけたっていうんじゃねえのか」

「それなら、どうかくしても店の者にはわかります」

「吉原の女とか……」

「それも、かくす必要はございますまい」

大店の主人で、吉原の女を身受けするというのは珍しくもない。

「よっぽど、素性の悪い女か、さもなくば、他人の女房か」

「あの当時も、ひとしきり評判になりましたが、結局、わからねえじまいでして……」

それだけ、奈良屋の口が固かったということでもあろう。

「奈良屋徳兵衛というのは、どんな男なんだ」

「近頃のことは存じませんが、若い時分は豪放磊落(らいらく)と申しますか、世間の噂なんぞを気にしないで、やりたいことをやってのける、といったところがございました。まあ、神経が荒っぽいと申せばそれまでですが、出来ないことはないといった自信家で、又、なにをやっても旨くいったんじゃねえかと思います。ただ、そんな奴でも、一年に三人も子供が出来たのは少々、具合の悪い思いだったのか、女遊びのほうも、そこらが頂点で、その後、新しい女を妾にしたという話はききません。子供も三人きりのようでございます」

「三人の子は、みんな本妻が育てたのか」

「へい、ですが、あれだけの金持となると、実際には一人一人に乳母だの女中だのがついて大事にされますんで、別におかみさんが面倒をみるということは、自分の産んだ子でもあまりねえように聞いて居ります」

「そりゃあそうだな」

深川へ行って、銀之助の母親に会った話をすると、嘉助は首をかしげた。

「奈良屋の跡取りは、おかみさんの産んだ徳太郎でございましょう。あとの二人はいずれ暖簾わけをしてもらうということで話がきまっている筈でございます。旦那が格別、銀之助を可愛がって跡取りにするというようなことでもない限り、銀之助が邪魔ということは、まず考えられませんが……」

もしも、長助のために、東吾が一肌ぬいでやろうと考えているのならば
「奈良屋では大番頭の喜左衛門と申しますのが、旦那の信用もあり、奥向きのことも承知しているようでございますから……」

例によって要領よく話を終えると、嘉助は長居をしないで、居間を出て行った。

「長助親分ったら、そういう下心があったから、お蕎麦の粉を持って来たんですね。なにかというと、あの人たちは、東吾様を事件にひっぱり出すんだから……」

二人だけの部屋で、るいはちょっぴり頬をふくらませてみせた。

「それを又、東吾様ったら、すぐ、その気になって……」

「仕方がないだろう、八丁堀育ちは、俺もお前も、心底、お節介に出来てるんだ」

「いつ、あたしが……」

「いつでも、女長兵衛を気どってるじゃないか」

「嘘ですよ、そんな……」

むきになったるいを、東吾がひょいと抱き上げた。

「いいじゃないか。情は人のためならずだ。いくら、お節介をやいたって、俺はきまって、ここへ帰ってくるんだから……」

るいの返事が途中で消えて、居間は再び、ひっそりした。

二

翌日、東吾は兄の通之進にざっと長助の話をした。

「源さんのお株を奪うつもりはありませんが、狸穴の方月館へ参るついでに、ちょっと様子をみて来ようと思っています」

奉行所の肩書のない東吾なら、おみのに頼まれて様子を訊きに来たといっても、別に支配違いと苦情をいわれることもあるまいといった。

「昨日の蕎麦がきは高くついたな」

それでも通之進は機嫌がよかった。

「せいぜい、気をつけて参るように……」

その足で八丁堀を発ち、狸穴の方月館へ着いたのが午すぎで方月館の奥向きを取りしきっているおとせが驚いて出迎えた。

「まあ、若先生、どうなさいました」

「深川の長助に野暮用を頼まれたんだ」

庭へ廻ってみると、松浦方斎は善助や正吉と菊の鉢を眺めている。それは、見事な大輪の黄菊、白菊で、平素は殺風景な方月館の庭が見違えるほど華やかであった。

「これは良いところへ参った。これほどの菊は江戸でも少かろうが……」

方斎の菊自慢に、東吾は苦笑した。

「先生の御丹精ですか」

「いやいや、菊は素人の手に負えぬよ」

昨日、白金村まで出かけて買い求めて来たものだという。

「白金村に久作と申す菊作りの名人が居る。少々、変り者で黄菊、白菊しか作らぬが、年々、美しい花を咲かせて近在の評判になって居る」

「白金村ですか」

話のついでに、東吾は訊ねた。

「そこらあたりの大地主の娘で、日本橋の奈良屋に嫁いでいるのが居りましょうか」

方斎は知らなかったが、善助がすぐにうなずいた。

「そりゃあ、舘市左衛門さんのところでございますよ。目黒白金から広尾原にかけての土地は大方、市左衛門旦那のもので……」

「奈良屋へ嫁入りしたのは、何番目の娘なんだ」

娘といっても、もう三十のなかばを越している筈だという東吾に、善助が笑った。

「左様でございます。お照さんが嫁に行って、もう十八、九年になりますから……」

奈良屋へ嫁いだお照が長女で、その下にお里。

「一番末が男の子で芳太郎さんといいましたが、気の毒なことに、おかみさんをもらって一年そこそこで病死しましたんで……」

「随分、くわしいな」

「手前の生れが、白金村でございますから、あの土地のことは大方、存じて居ります」

「善助は、白金村の者だったのか」

「百姓でございまして、只今は兄貴が家を継いで居ります」

黙って聞いていた方斎が、東吾を眺めた。

「白金村に、なにかあったのか」

それで東吾が話し出した。

話し終って少しばかり驚いたのは、昨日、白金村まで行ったというのに、奈良屋の息子が行方知れずになったということを、方斎も善助も耳にしていない点であった。東吾の想像では、とっくに代官所に届けが出て、大さわぎになっていると思ったものだ。

「ここらあたりは田舎でございます。旧家ほど、世間体の悪い話は、ひたかくしにかくすもので、そう申せば、奈良屋が焼けたので、普請が出来るまで、お照さんが悴さんをつれて戻って来ていなさるというようなことは耳に致しましたが……」

「なんなら、白金村の兄の家で訊いてみようかと善助がいい、東吾は頭を下げた。

「すまないが、そうしてもらえると助かる」

銀之助が行方不明というのが間違いなら、深川へ知らせて、安心させることが出来る。

「かまわぬから、善助をつれて行きなさい。土地のことは、その土地の者にしかわからぬものだ」

方斎もいってくれて、東吾は早速、善助と一緒に白金村へ向った。

狸穴の高台から眺めると、白金村は古川と目黒川にはさまれた広々とした農作地で、見渡す限り水田と畑地であった。

ところどころに大名の下屋敷があるが、それらは鬱蒼(うっそう)たる森の中である。

方月館で足ごしらえをして来たからいいようなものの、こう見渡したところ、白金村までは結構の道のりである。

「若先生、正坊が手を振って居りますよ」

坂道をかなり下ったところで、善助が気づき、東吾がふりむいてみると、遥かな崖の上で正吉と、その母親のおとせがこっちへ手を上げている。

それに手を上げて応えてやってから、東吾と善助は日ヶ窪の町を抜け善福寺の脇を通って四ノ橋へ出た。

ここら辺りは町屋が少く、寺と武家屋敷ばかりが続いている。

四ノ橋を渡ったところが田島町だが、東吾は善助の案内で古川に沿って西へ行った。

やがて広尾原で、その先は百姓地ばかりになる。

吉田神道屋敷というのを過ぎて間もなく林に囲まれた田舎家がみえる。藁葺(わらぶき)屋敷だが、規模からいっても、水呑(みずのみ)百姓の家とは桁違(けたちが)いの豪勢なもので、それが大地主、舘市左衛門の屋敷であった。

近づいてみると建物はいくつもに分れて居り、土蔵だけでも五つもある。

家の周囲は築地(ついじ)をめぐらしてあって、その広さも大名屋敷並みであった。

裏手には古川から流れをひき込んで、大きな水車がのんびりと廻っていた。

善助の兄の家は、その水車小屋から畦道(あぜみち)を抜け、古川に架けた丸太橋を渡ったむこう側にあった。これは、ごく普通の小作人の百姓家である。

ちょうど稲刈の季節で、男達は田んぼに出ていたが、もう七十になるという善助の母親が留守をしていた。

東吾を方月館の師範代と教えられて、干し柿や干し芋に渋茶をわかして、もてなしてくれる。

近所だけに、舘市左衛門のところへ、奈良屋の女房が息子たちを伴って仮住いをしているのはよく知っていた。

「そのお照の息子、といっても妾腹らしいが、銀之助というのが、行方知れずになっているという噂は知らないか」

東吾に訊かれて、善助の母親は顔をしかめた。

「あの悪餓鬼奴等(めら)が、また、なにかしくさったかね」

「そうじゃねえんだよ。おっ母さん、銀之助という悴が、みえなくなったそうだが……」

「大方、どこぞの女のところへもぐり込んで居るんじゃろう。どいつもこいつも、さかりのついた畜生だで……」

母親の鼻息の荒いのに、善助のほうがたじたじとなった。

「そんなことをいっていいのかよ。地主さんの孫でねえか」

「ここらの百姓は、みんないっとるよ。江戸から疫病神(やくびょうがみ)がやって来だと」

東吾がいった。

「そんなに、奈良屋の悴どもは評判が悪いのか」

「あれだけの悪さをして、評判のええわけがねえ」

「あいつら、なにをやったんだ」

老婆が眼を怒らせて、話し出した。

「江戸の町からやって来て、田んぼや畑が珍しいのか知らねえが、人間、やっていいことと悪いことがある」

農耕に使役する馬をひきずり出して、まだ稲刈の終っていない田んぼや畑を追い廻す。

稲はもとより、畑の大根も菜も荒し放題に荒されて、収穫はめちゃめちゃになった。

「百姓が汗水流して、丹精したものを駄目にして、あいつら、なんとも思わねえだ」

農家の庭へ這入り込んで、鶏を盗み、首をしめて片はしから殺したり、井戸に汚物を投げ込んだり、果ては村の娘をからかって夜這いをかける。

「まだ、十六かそこらだろう」

思わず東吾がいい、善助の母親から睨まれた。

「やることは餓鬼だが、体のほうは一人前だでよ」

「地主は、なにもいわないのか」

舘市左衛門は大百姓である。少くとも、百姓の汗の尊さを知っている筈だ。

「孫がよくよく可愛いのか、年をとって、もうろくしたのか、なんにもいわんそうじゃ。その中、銭をやるというだけで……」

銭で済むことではなかったが、地主に対して小作人は弱い。

「みんな泣き寝入りで、早く、奈良屋の店が建って、悪餓鬼が江戸へ帰りゃええと、それだけを待ってますだよ」

老母の剣幕に、東吾と善助が度肝を抜かれているところへ、善助の兄の藤太郎が帰って来た。

奈良屋の悴どもに対する彼の意見も、老母と同じようなもので、銀之助が行方知れずの噂はきいたが

「あいつらのことだで、どこかの後家さんのところにでもつかまっているか……」

苦い顔をした程度の関心しかない。むしろ

「荒された田や畑は、嵐が来たと思って諦めもしましょうが、来年の今頃になって、村中の娘

が父親のない赤ん坊を産むんじゃねえかと、そっちのほうが余っ程、気がかりです」

という。

「いくら、地主の孫だからといって、娘に乱暴をさせる法はない。力ずくでも親兄弟が追っ払うとか……」

たかが十六の相手ではないかといった東吾に藤太郎が苦笑した。

「情ねえことに、娘っ子のほうが、奴等のいいなりになっちまうんですよ。親の眼を盗んで、奴等に抱かれたがる。江戸の大金持の悴というんで、あわよくばと思うのか、奴等のほうにそんなまともな気持なんぞ、爪の垢ほどもねえってことが、なんで、娘たちにわからねえのか、つくづくいやになりますよ」

幸い、藤太郎のところは男の子ばかりなので、その点だけは安心だが

「年頃の娘を持った親たちは、たまりますまい……」

という。

だんだん、訊いてみると、三人の少年達のやり方は汚くて、一人がものにした女のところには日をおいて、必ず、他の二人も出かけて行って強引に関係を持つ。

「三人の男の玩具になった女を、なんで嫁にしなけりゃならねえのかと、居直るための用意なんだそうで、そういうことを、あいつらが平気で話すんですから、たまったもんじゃありません」

銀之助が行方不明になっているとしても、村人の誰一人、関心がないということだけは、は

っきりしていた。

「こう嫌われているんじゃ、どうしようもないな」

帰り道は、丸太橋を渡らずに、林を抜けた。

ぼつぼつ夕暮で、林の中はうすく霧が流れている。

どこかで、女のうめき声が聞えて、東吾と善助が足をとめた。眼をこらしてみると、むこうのしげみの中で男と女が抱き合っている。

更に驚いたのは、男が二人がかりで一人の女を犯していたことである。男二人は若く、身なりからいっても、この辺の百姓ではない。

東吾がつかつかと近づいた。

「徳太郎と良吉だな」

刀の柄(つか)へ手をかけた。

「手前ら、ぶった切ってやる」

二人の少年がとび上った。下帯をはずしたぶざまな恰好で、こけつまろびつ走って行く。

女のほうは、少年達とは逆の方角へ、四つん這いで逃げ去った。

「男も男だが、女も女というところだな」

善助の兄のいった通りだと苦笑して、東吾は道へ戻った。正直のところ、もう銀之助のことを探索する気持がなくなっている。

林のむこうは菊畑であった。

「久作爺さんの菊畑でございますよ」

東吾の気持を察したように、善助が教えた。

「これは見事だな」

方月館でみたのは大輪の鉢植えだったが、ここの畑はむしろ小菊が多い。花は小さいが香は強く、畑のふちに立っただけで上品な匂いに包まれる。

菊畑の傍の小道を行くと、老人が畑の手入れをしていた。その附近だけは、ところどころ、菊がなぎ倒されたようになっている。

善助が老人に声をかけ、老人がこっちをみた。

「久作爺さんですよ」

教えられて、東吾は立ちどまって会釈をした。みたところ、七十をとっくに越えている様子であった。が、土いじりをしているせいか、体つきはがっしりしているし、腕も太い。

「どうしたんだね。狸にでも荒されたのかね」

善助が訊ね、老人が低く、答えている。

「ここの畑も、奴等がやったそうですよ」

東吾のところまで戻って来て、善助がいった。

「菊の畑を馬で乗り廻したってんですから、馬鹿としかいいようがねえ」

その菊畑のむこうに若い女の姿がみえた。東吾たちが気づくより先に、久作が走って行って、娘を叱っている。

こんなところへ出て来てはいけない、といっているようであった。

「久作爺さんの孫娘のおかよさんですよ」

歩きながら善助がいった。

「まだ二十一なんですが、あの年で後家さんです」

「亭主に死なれたのか」

「へえ……本当なら玉の輿だったんですが」

舘市左衛門の息子の芳太郎に見初められて、二年前に嫁入りをしたという。

「お袋の話なんですが、小姑が随分と嫁いびりをしたそうですよ」

今、里帰りをしている奈良屋のお照だの、近くに嫁いでいるお里だの、芳太郎の二人の姉が、弟嫁につらく当ったらしい。

「おまけに芳太郎さんが病身で、おかよさんはそりゃよく看病したそうですが、気苦労が重なって眼を悪くする、芳太郎さんには先立たれる、不幸続きで、結局、離縁になって実家へ帰って来ているんです」

眼のほうは、まるっきりみえないわけではないが、かなり不自由で、ものにつまずいたり、縁側から落ちたりは始終らしい。

「久作爺さんが、心配して、滅多に外へ出さないようにしているんですが、当人にしてみたら、遊んでいるわけにも行きますまい」

「地主のほうからは、なんにもしてやらねえのか、仮にも息子の嫁だった女だろうが……」

「金持ほど、しみったれっていいますから、おそらく、女中同様にこき使って、息子が死んだらお払い箱って奴でしょう」

狸穴へ戻ってみると、夜であった。

畝源三郎が待っている。

「神林様のお指図で、東吾さん一人だと、なにをしでかすかわからないから、白金村まで行って来いと申しつかりました」

今しがた、方月館へ着いたところだという。

「なんにもしやあしねえよ。江戸から来た馬鹿息子を叩っ斬ってやりてえとは思ったがね」

奈良屋の三人息子の話をすると、源三郎も苦々しい表情になった。

「父親が本妻と妾とに一年に三人もの息子を産ませれば、出来が悪くて当り前のようなものですが……」

「悴の一人一人が、親父と同じ真似をしてやがるのさ。来年の今頃は、白金村に奈良屋徳兵衛の孫が何十人、産まれるか知れたものじゃねえ」

「銀之助という男は、どうなったんですか」

「どこかで女あさりをしているんだと……」

「十六歳ですよ」

「源さんも、俺も、おくてなんだ。近頃の若え者は、菊畑で馬を乗り廻しちゃならねえってことは知らなくとも、女をひっくり返すのは名人だとさ」

「相当、荒れてますな、東吾さん」

おとせが心づくしの膳を運んで来た。温めた酒には菊の花片が浮いている。

「方斎先生が、いやなことは忘れるようにとおっしゃいまして……」

心づくしの菊の酒であった。

「飲もうか。源さん、出来の悪い息子に腹を立てるにゃ惜しいような秋の夜だ」

「左様です。親の因果が子に報いといいますから、そういう連中は、ろくなことになりません」

「定廻りの旦那のいうせりふじゃねえな」

それでも東吾は少々、気になっていた。林の中で女を弄んでいたのは二人である。あれが徳太郎と良吉なら、銀之助はまだ舘家へ戻っていないのかもしれない。それに、大体、金持の出来の悪い息子などが悪事を働く場合、一人ではなにも出来ず、仲間を組むと急に度胸がよくなるものだということを考えると、銀之助が一人だけで何日も家をあけているのが不審でないこともない。

が、その夜の東吾は正吉の手習をみてやったり、源三郎と善助の素人将棋をひやかしたりして、早々に寝てしまった。

翌朝、まだ夜が明け切らない中に、善助の兄の藤太郎が若い女の手をひいて、方月館へかけ込んで来た。

「久作爺さんの菊畑で、地主さんのところの徳太郎と良吉が殺された」

という。

善助が仰天して東吾と源三郎に知らせ、とび起きた二人が藤太郎に会ったのだが、彼も逆上していて、話がよくわからない。

ともかくも、東吾と源三郎が身仕度をしている中に、善助が藤太郎から聞き出したのによると、今朝、まだ暗い中に藤太郎の家の戸を叩く者があるので出てみると、おかよが半狂乱になっていて、菊畑で人が争っているから、すぐ来てくれという。かけつけてみると菊畑の中に徳太郎と良吉が倒れていて、そのむこうのほうに久作爺さんが腰をぬかしていたので、これはもう代官所へ知らせるよりも方月館へ行って相談したほうがいいと思い、おかよの手をひいて、ここまでやって来たということであった。

おかよのほうは、ただ

「おじいさんを助けて……」

と泣きじゃくるだけである。

東吾と源三郎が方月館をとび出した。

しらじらと明け初める六本木から日ヶ窪を走り抜けて、まっしぐらに白金村へたどりつく。

久作の菊畑には、すでに村の者や代官所の役人が集っていた。

朝の陽の下で、二人の若者は血だらけになってひっくり返って居り、それに二人の女が各々、すがりついて泣き叫んでいた。

一人は徳太郎の母親のお照、もう一人は

「お照さんの妹のお里さんですが……」

漸く、東吾と源三郎に追いついた藤太郎がささやいた。

お里が抱きしめて泣いているのは、良吉の死体である。

「まさか、久作がやったんじゃないだろうな」

東吾が低くいい、藤太郎が大きく手を振った。

「そんなことはありません。あっしがみた時、二人とも鍬を持って倒れていました」

鍬で二人がなぐり合って、相討ちになったと藤太郎は思っている。

代官所の役人のところへ行って話を聞いていた源三郎が戻って来た。

「二人で夜中に菊畑を荒しに来たらしいのですよ」

成程、菊畑はあっちこっちが乱暴に掘りかえされている。

「代官所の連中が久作を調べたそうですが、夜中に厠へ起きて、ひょいとみると菊畑のほうで人が喧嘩をしているようにみえたんで、外へ出て声をかけたが、二人とも鍬をふり廻して危くて近づけない。その中に片方が倒れ、もう一人がよろよろ歩き出したと思ったら、そっちもぶっ倒れたというんです。久作は暫くは腰が抜けたように動けなかったそうですが、気をとり直して近所、といっても、だいぶ遠いようですが、知らせに行ったと申したそうです」

代官所の役人達の意見では、徳太郎と良吉が悪戯に菊畑を荒している中に、口論になり、鍬でなぐり合って、どっちも死んでしまったものだろうというところだという。

「まあ、舘家の孫息子の評判の悪いのは、代官所にも聞えていたとみえて、大方、女のことで喧嘩になって、どっちも血気盛んだから、あとにひけずになぐり合って命を落したと、いわば自業自得と判断しています」

突然、女と女が取っ組み合いをはじめた。お照とお里の姉妹である。髪をつかみ、武者ぶりついているのがお里で、慌てて何人かが二人をひき離そうとすると、お里が狂気のように叫び出した。

「姉さんのせいだ。姉さんが、あたしの産んだ良吉をひっさらって……あたしの良吉をこんなにしちまって……姉さんは鬼だ」

お照のほうが叫び返した。

「あたしが鬼なら、お前は畜生だ。女房と女房の妹と、犬畜生とはお前のことだ」

「犬畜生は義兄(にい)さんだよ。姉の亭主と妹がいい仲になって……おまけに妾にまで、一ぺんに子供を作ってさ。あんなのは人じゃない。けだものだ」

東吾と源三郎は、ふと顔を見合せた。

恥も外聞もなく、罵(のの)り合う姉妹を、集った村人が冷ややかな眼つきで眺めている。代官所の役人までもが、面白そうに、このさわぎを見物しているのであった。

一度、方月館へひきあげてから、東吾は善助にあることを頼んだ。

源三郎は八丁堀へ帰り、東吾のほうはその日から方月館の稽古を始めた。

三、四日して、善助のところへ藤太郎が来た。

「若先生のおたずねの件ですが、二、三人の娘が、徳太郎、或いは良吉から、菊畑の近くで銀之助をみかけなかったかと訊かれています」

「娘たちは、銀之助をみたのか」

「いえ、誰もみた者は居ねえそうです」

「それじゃ、おかよのほうはどうだ」

藤太郎が眼を伏せ、顔を怒りで赤くした。

「娘の一人が、水車小屋へおかよさんがつれ込まれるのをみたそうです」

「つれ込んだのは三人か」

「むごいことをしやがると思います。あいつらにしたら、叔父さんの女房だった人を……」

東吾がうなずいた。

「その話、誰にもするな」

「村の連中は口が固うございます。それに、地主の孫息子を怨んで居りますから……」

東吾が使いをやって、八丁堀から源三郎が来た。暫く話し合って、源三郎が方月館から出かけて行く。東吾のほうは稽古が終った午後に、これもふらりと方月館を出た。

すっかり歩き馴(な)れた道を、白金村へ。

菊畑の近くには、源三郎が待っていた。

「万事、うまく行きましたよ」

肩を並べて、久作の家へ行った。

久作は仏壇に線香を上げていた。

おぼつかない手つきで、おかよが夕餉(ゆうげ)の仕度をしている。

菊畑は荒れたままになっていた。

「お節介かも知れないが、八丁堀の旦那が舘家へ行って話をつけて来た。こんな血なまぐさい畑で二度と菊づくりをする気持にはなれないだろう。地主は孫息子がお前のところへ迷惑をかけた詫びに、この土地を買ってくれた。この金で、どこかいい土地へ移って、新しく菊づくりをはじめるといい」

なにかいいかけた久作を、源三郎が制した。

「心配するな。舘家では、孫息子の供養のために、いずれ、この土地を菩提寺に寄進するそうだが、仮にも人が二人も血を流した場所だ。この先、三十年はこのまま、そっとしておくのが、死者への礼だと申してやった。なに、寺のほうも気味悪がって、当分は手をつけまい。案ずることはない」

がっくりと手を突いた久作に、東吾もいった。

「花はいいものだと武骨な俺でも思う、殊に黄菊白菊の美しさは格別だ。人が丹精し、見事に咲かせたものを、無惨にふみにじる奴は人ではない、畜生だ。畜生が畑を荒せば、百姓は鍬でぶち殺す。丹精した花を汚された苦しみを、畜生どもはわからぬ。俺だとて、そういう犬畜生はぶった斬ってやる」

「東吾さん」

笑いながら、源三郎が制した。

「花作りの話に、ぶっそうなことはいわぬものです。花が泣くと困ります」

東吾も苦笑した。

「そうだった、俺はどうも風流とは縁がないらしい」

相談したいことがあれば、方月館の松浦方斎先生をたずねて行くようにといい残して、男二人は外へ出た。

「東吾さん……」

歩き出しながら、源三郎がいった。

「孫というのは、我が子よりもかわいいものだそうですな」

「だから、大地主は孫息子を甘やかしたといいたいんだろう」

百姓にとって、なによりも大切な田畑を荒し廻った孫息子たちを、地主の立場で叱ることが出来なかった。

「孫のためなら、なんでもしてのけるのも、祖父なればですよ」

三人のけだものに汚された孫娘のために、菊作りの爺がふり上げた鍬の重みを東吾は考えていた。

「銀之助は、おかよをもう一度、自分一人のものにしようと、菊畑にやって来て、久作になぐり殺された。久作は銀之助の死体を菊畑に埋めたんだ。徳太郎と良吉はもしかすると銀之助が自分達を出しぬいて、おかよのところへ行ったのではないかと考えた。何日も戻って来ないところをみると、或いは殺されたのかも知れないと思い、二人で相談して菊畑を掘ってみることにした。そこを久作にみつかって、どっちも殺されたんだ」

「久作にしてみれば必死だったでしょう。自分にもしものことがあれば、眼の悪い孫娘が一人ぼっちになってしまいますからね」

「それにしてもひどいものだ。血を分けた弟が五日も六日もみえなくなってから、もしやと考える……相当に血のめぐりの悪い連中だよ」

「よく、人に打ちあけませんでしたね」

「そりゃいえまいさ、いくらなんでも、義理の叔母を、三人がかりで犯したんだ。母親にだって、いいにくかろう」

菊畑のはずれでふりむくと、家の前で久作とおかよが寄り添うように、こっちへ頭を下げている。

散り残った黄菊白菊の上に、細い三日月が出ていた。

猫屋敷の怪

一

日本橋本石町に山形屋という、琴三味線の店があった。

主人は宗五郎といい、まだ五十そこそこだが、このところ、病気がちで、商売のほうは番頭の吉左衛門にまかせきりになっている。

その山形屋の娘で、おすがというのが、同じ日本橋堀江町へ琴の稽古へ行ったきり、暮れ方になっても帰って来ないので、心配した山形屋の女房が、手代の久之助を迎えにやってみると

「おすがさんは、今日はお稽古においでじゃありませんが……」

喜多村菊枝という、琴の女師匠にいわれて、仰天した久之助が、本石町へかけ戻って来てから、大さわぎになった。

おすがの立ち寄りそうな、稽古友達の家などに人を走らせている中に、小僧の宗吉が、店先におちていたといって、結び文を持って来た。

開いてみると、これが脅迫状で

こんや丑の刻（午前二時）、護持院の原の二番原へ三百両、手代の久之助に持たせて来い、役人に知らせると、娘の命はないぞ

と、ごつい文字で書いてある。

山形屋の奉公人たちが顔を見合せ、誰もなにもいえないでいると、病間から起きて来た主人の宗五郎が

「放っておけ。二度と、その手は食うものか」

語気荒くいい切った。

びっくりしたのは、事件をきいて、かけつけて来ていた出入りの岡っ引の伝三で、いささか、あっけにとられながら、主人が女房のお由良に介抱されて、奥の病間へひきとるのを待って、番頭の吉左衛門に、どういうわけだと訊いてみると、思いがけない話が出て来た。

おすがには、いささかたちの悪い恋人がいて、半年ほど前にも、同じようなことがあったのだという。

つまり、今日と同じように、突然、おすがが帰って来なくなって、やがて脅迫状が投げ込まれ、どこそこへ金を持って来い、さもなくば、おすがの命はないと脅かして、手代に金を持たせてやったところ布で顔をかくした男が出て来て、金を奪って行ったが、小半刻もすると、おすがは、けろりとした様子で家へ戻って来た。

「狂言だったんでございますよ」

おすがが、恋人にそそのかされて、実の親を欺して、金を出させたものであった。

「なんだって、そんなことを、お上に黙っていたんだ」

日本橋の北内神田辺を縄張りにしている伝三としては、大いに面目を失って叱りつけたが、番頭が平身低頭していうには

「何分にも、嫁入り前の娘さんのことで、左様なことが世間に洩れましては、一生、嫁にも行けなくなるということでして……」

娘可愛さが一つ、もう一つは

「手前共で、お琴や三味線の御注文をお受けいたしますのは、れっきとしたお大名家やお旗本、それに江戸でも名の通った老舗のお嬢様、奥様方でございます。そうした不祥事が表沙汰になりましたら、商売にさしさわりますので……」

奉公人にも固く口止めをして、ひたかくしにかくし通したらしい。

「そういうことがございましたので、旦那様は、今度も亦と、御判断なすったんでございましょう」

なにからなにまで、この前と同じだと吉左衛門はいった。

「まず、お嬢さんが帰って来なくなって、次に投げ文が届きまして……」

「おすがさんの恋人ってのは、どこの誰なんだね」

山形屋の娘が、あまり評判のよくないことは、伝三もきいてはいた。

十二、三の、ちょうどいろいろなことがわかりかける年頃に、生母が病死して、すぐあとに、父親が後妻をもらった。それが、今の女房のお由良だが、この継母とどうもしっくりしなくな

って、外を遊び廻っている。

猿若町の役者に夢中になったり、芸人をひいきにしたり、およそ、老舗のお嬢さんらしからぬ振舞が、世間の噂になっている。

が、脅迫状を送って、大金を欺しとるほどの悪党とつき合っていたというのは意外であった。

なんといっても、金持の我儘娘の御乱行に、そんな度胸のある相手が出て来ようとは、伝三ならずとも、想像しにくい。

「それが、松五郎と申しまして……」

渡り者の中間だという。

「武家奉公かい」

伝三が、ちょいとひるんだ。

若党小者のような身分でも、武家屋敷に奉公している限り、町方役人の管轄外である。

「そいつは、いってえ、どこに奉公しているんだね」

気勢をそがれて、訊いたのだが、番頭の返事も、はかばかしくなかった。

「手前共へ参りましたのは、たしか土屋采女正様のお妹様のお琴をお納め申しました時が最初だったように、おぼえて居りますが……」

二年ほど前のことで、その頃、土屋家では当主の妹が輿入れをするので、嫁入り道具として琴を新調したり、奥方の琴の手入れがあったりで、山形屋のほうも頻々と屋敷へ出かけて行き、又、土屋家からも使いが来た。

「奥方様のお傍仕えのお女中衆が、手前共におみえ下さる時に、松五郎が供をして参りまして……」

中間には惜しいような男前だったといった。

「上背がございまして、如何にも女好きのしそうな奴でしたが」

芝居にくわしくて、よく店先でおすがの話相手になっていた。

「半年ほど前の事件のあとで、手前共から土屋様に、そっとうかがってみましたところ、松五郎は、だいぶ前に土屋様からお暇をとっているそうで、今は、どこで奉公しているのか、わかって居りません」

ただ、おすがが時折、松五郎と会っていることは、奉公人はみんな知っていた。

「お稽古やらお買い物やらで、お嬢さんが外へ出かける時は、必ず、手代か小僧を供につけますので……」

或る所まで行くと、そこに松五郎が待っていて、おすがとどこかへ行ってしまう。お供のほうは、あれよあれよという感じで、そこで待っているか、店へ帰るか。

「手前から、旦那様に申し上げたこともございますが、お嬢さんは、どなたのいうことも聞きませんし、どうすることも出来ませんので……」

まさか年頃の娘を座敷牢に押しこめておくわけにも行かない。

「そうすると、今度も、その松五郎って奴とおすがさんが組んでやったことかねえ」

「多分、そうではないかと思いますが……」

この前に味をしめて、また、親から金を出させようというのだろうと、番頭も考えている。

「その前は、いくらだったんだ」

「百両でございます」

「今度が三百両か」

伝三が首をひねった。

「ほうっておいて、いいのかねえ」

投げ文で指定して来た護持院の原に、もしも、三百両を持って行かなかったら、松五郎とおすがはどうするだろうか。

「まさか、おすがさんを殺すってことはあるめえが……」

青くなった番頭を尻目に、伝三は山形屋を出たが、どうにも面白くなかった。

金持の家には、よくあることであった。

出来の悪い息子や娘の不始末を、金で済むことならと内輪で片付けようとする。それならそれで、岡っ引風情のかかわることではないかも知れないが、明らかに犯罪の匂いのしているものを、お上へ内緒にするというところが腹立たしい。

外はもう暮れかけていた。

本町通りへ出ると、ずらりと軒を並べた呉服屋の軒先だけが、あかあかと灯をともしている。

その一軒の入口近くに立っていた男が、むっとした表情で歩いて来た伝三に声をかけた。

「瀬戸物町の伝三じゃねえか」

顔を上げて、伝三は親類の叔父さんに出会ったような表情をした。

「長助親分、こいつはいいところで……」

定廻りの旦那である畝源三郎から手札をもらっている岡っ引仲間では大先輩であった。

いそいそと伝三が近づくと、呉服屋からもう一人、主人や番頭の見送りを受けて出て来た男があった。まだ若い侍だったが、定廻りの旦那ではない。

「若先生」

と長助が、その侍へいった。

「こいつは、この辺りに居りますあっしの同業で、伝三と申します。やっぱり、畝の旦那の御厄介になって居りますんで……」

若先生と呼ばれた侍が、照れくさそうに笑った。

「そいつは悪い奴に、みつかっちまったな。源さんにいいつけられたら、俺の鼻の下の長いのが、一ぺんに、ばれちまうぜ」

「とんでもねえ。こいつは口が固うございます。それに若先生が呉服屋へお出かけなすったからといって、別に鼻の下が長えなんて、誰も思いませんや」

長助が、呉服屋の番頭から、少々、かさのある風呂敷包を受け取ろうとしたので、慌てて、伝三はそれを取った。

「手前が、お持ち申します」

「すまねえな」

侍にしては伝法な口調であった。

「お前、なにかこみ入った話があるなら、大川端までついて来い。長助と一緒に相談にのってやってもいいぞ」

歩き出しながら、侍がいったので、伝三は仰天した。どうして、この侍に、自分の腹の中がわかったのだろうと思う。実際、その時の伝三は、山形屋の一件を長助に打ちあけて、どうしたものか、智恵を借りたいと考えていたのだ。

長助のほうは、一瞬、きょとんとしたが、神林東吾がずんずん歩いて行くので、あたふたとその後を追いながら、ついて来た伝三に訊ねた。

「お前、なにか相談事があったのか」

「実は、そうなんで……」

伝三は、頭へ手をやった。

長助が先を歩いて行く東吾を眺めて、うなった。

「なんで、若先生にわかっちまったんだろうなあ」

それは、伝三も同感であった。

日本橋川には、長助のところの若い者が猪牙（ちょき）をつけて、待っていた。伝三をみて、少し変な顔をしたが、何もいわず、すぐに舟を出す。

「年の暮だってのに、寒くならねえなあ」

舟の中で東吾がいい、長助が神妙にうなずいた。

「今年は三の酉(とり)までありましたんで、火事が多いんじゃねえかと心配してましたが、今のところ、平穏無事で……」

大川端町までは、あっという間であった。

舟から上ると、すぐに「かわせみ」の暖簾(のれん)がみえる。

「お嬢さん、若先生がおみえンなりました」

番頭の嘉助の太い声が聞え、奥から夕化粧もあでやかなるいが顔を出し、伝三は漸く気がついた。

八丁堀同心、畝源三郎には子供の時からの仲よしのお友達がお出でなさる。その人は南町奉行所の吟味方与力、神林通之進の弟で大川端の旅宿かわせみの女主人は、その御方の恋女房みてえなものだ、と、長助から聞かされていたのが、この若先生だということを、であった。

二

るいの部屋で、すっかりこちんこちんになった伝三が、酒の力を借りてなんとか喋った山形屋の一件を、かわせみの連中は、例によって熱心に聞いた。

「出来の悪い娘を持つと、親は苦労しますねえ」

ずけずけと感想を述べたのは、女中頭のお吉で

「それにしても、最初が百両、二度目は三百両ってのは親をなめてますよ」

と憤慨した。

「ひょっとして、娘さんのほうは、その三百両で、かけおちでもするつもりじゃなかったんでしょうかね」

といったのは嘉助で

「とすると、親御さんが、金を出さないとなると、どうなりますか」

いささか、不安そうな口ぶりである。

「男が、お金めあてで、山形屋のおすがさんとつき合ってるのなら、金が来なけりゃ、おすがさんと別れるんじゃありませんか」

とお吉。

「そう、あっさり行きますかね」

長吉も口をはさんだ。

「渡り中間なぞというと、かなりしたたかな奴かも知れません。そういう奴が、山形屋に目をつけて、金をしぼり取ろうと思ったら、おすがさんは、いわば、人質ってことになりますまいか」

娘は男の手の中にある。

「おすがさんを痛めつけ、命をおびやかしてでも、金を出させようとするかも知れません」

黙って、盃をあけていた東吾が、伝三をみた。

「今日の投げ文がいって来た時刻は、丑の刻だったな」

伝三がお辞儀をした。

「左様で……」

「投げ文が来たのは……」

「日の暮れ方で……」

「ちっと、早すぎやしねえか」

金を持って来いと指示した時刻までに、間がありすぎると東吾はいった。

「そんなに間をあけねえものさ。真夜中にやって来いというなら、文を投げ込むのは、せいぜい一刻か、二刻前……あんまり間があったんじゃ、役人に知らせたり、家族が智恵をしぼったり、どっちにしても、むこうさんには都合の悪いことになる」

娘は人質にとった、さあ、金を持って来いと脅迫するのなら、相手に考える間を与えては不利であった。

「山形屋ほどの大店だ。三百両の金が、右から左へ、ととのえられないとは思うまい」

「そうするってえと、若先生」

長助がすわり直し、東吾が呟いた。

「二つ目の文が、来ているかも知れねえぞ」

最初の文で、山形屋がどう出るかを窺って、その様子によって、二つ目の脅迫にかかるというが相手のねらいだと
「ぼつぼつ、そんな時刻だな」

伝三が腰を浮かし、長助も立った。

「本石町へ行ってみます」

「それがいい。なにかあったら、ここへ使をよこしてくれ」

あたふたと二人の男がとび出して行き、東吾は炬燵(こたつ)のほうへ席を移した。

「おい、さっきの風呂敷包、持って来いよ」

部屋のすみにおいてあったのを、るいにひろげさせた。

「八丁堀の道場から一年間の教授料って奴が出たんだよ」

それで買って来た嘉助とお吉への歳暮の品であった。

「本当は一番先に、るいのを買うつもりだったんだ。番頭がいろいろと出して来やがってさ。迷っちまって決められねえから、明日、当人をつれて来て選ばせるってことで、帰って来たんだ」

女房に甘い亭主の顔になった東吾へ、るいは涙ぐんだ。

「すみません。お気を遣わせて……」

いそいそと、二つの包を持って立ち上った。

「二人が、びっくりしますわ。東吾様のお見立てだっていってやったら……」

「番頭がえらんだんだ。俺じゃねえよ」

「そんなことは、おっしゃらないで……」

目と目で笑って、それだけで部屋の空気が熱くなるような夜であった。

長助が戻って来たのは、それから一刻ばかり後である。

本石町の山形屋には、やはり二つ目の投げ文が入っていた。

「若先生におみせしようと、あずかって来ました」

二通目の、それは女文字であった。ひどくふるえていて、墨つぎの跡もおぼつかない。

お父つぁん、お金を出して下さい
さもないとあたしは殺される
久之助に三百両、持たせて、よこして下さい。お役人には知らせないで
本当に、あたし、殺されるかも知れない
助けて、お父つぁん　　　　　すが

「山形屋の旦那の話では、おすがさんの字に間違いなさそうだってことです」

投げ文の中には、髪の毛が一つまみ入っていた。

それも、無理にひき抜いたように、根本に血がついている。

なにげなく覗いたるいが、身震いをした。

「山形屋の主人は、なんといっていた」

東吾が訊き、長助がむずかしい顔になった。

「半信半疑ってところですか。やっぱり、娘の狂言かと思う一方で、もしも、おすがさんが殺されたら、と心配していまして……」

どんなに出来の悪い娘でも、我が子が可愛くない親はなく、まして、おすがぐれた原因は、そもそも父親が後妻を迎えたことにあるとわかっていては、不愍と思う気持も強い。

「結局、手紙でいって来た通りに、手代の久之助というのに、三百両を持たせて、護持院の原へやるようです」

「久之助ってのは、どんな男だ」

「それが、小柄で華奢な奴でして、女みてえに優しいんで……三味線屋の手代にはむいているかも知れませんが、まるっきり、たよりになりそうにありません」

そんなひ弱そうな男だからこそ、先方も名ざしで、久之助に金を持たせるようにといってよこしたものに違いない、と長助はいった。

「腕っぷしの強い奴に来られたんじゃ、むこうが、たまらねえってことで……」

「それで、伝三は、どうするんだ」

「へえ、山形屋の主人とも相談したんですが、いくらなんでも、二度も相手のいいなりになって、大金を奪(と)られるのは忌々(いまいま)しいし、おすがさんの身の上も心配ですので、とりあえず、伝三が久之助のあとを尾(つ)けて行こうということになりました」

幸い、今夜は雲が多くて、月は殆ど姿をみせない。

尾行を、むこうに気づかれる怖れは少かった。

「まず、出たとこ勝負ってことになりましょうから、伝三も苦労とは思いますが、何人もで尾けて行ったんじゃ、むこうにかんづかれるだろうてんで……」

東吾が食べかけの雑炊を、さらさらとかき込んだ。

「むこうがいって来たのは、護持院の原の二番原だったな」

護持院の原というのは、千代田城を囲んでいるお堀の、神田橋と一ッ橋の間の外側の野原で、大塚護持院の旧地であった。

享保年間に、護持院が火事に遭って、大塚に移したあとは、いわゆる火除地（ひよけち）として野原になっている。

一ッ橋に近いほうが一番御火除地、神田橋に近いほうを二番御火除地と呼んでいる。

護持院の原の二番原といえば、二番御火除地のことであった。

「手代のあとを尾けて行くのは、伝三一人として、先に、むこうへ行って張り込んでいる分には、みつからねえ工夫があるんじゃないか」

東吾にいわれて、長助は合点した。

「おっしゃる通りです。今から行って、伝三の手助けをしてやりてえと思いますので……」

長助が帰ると、東吾はるいが用意した布団にもぐり込んだ。

ぐっすり眠りこけているようにみえたのに、あと半刻で丑の刻という時に、むっくりと起き出した。

東吾の気性からいって、おそらくそうなるだろうと、るいは、薄く真綿を引いて仕立てた結城紬に、やはり綿入れの羽織を用意して待っていた。

東吾の身仕度は手早くて、あっという間にかわせみの裏口へ出ると、そこに嘉助が待っていた。

「お供をいたします」

「俺一人でいいだろう」

「なにかのお役に立つかも知れません」

その気になって仕度をしていたのでは、ついてくるなといっても、ついてくる嘉助のことで
「戸じまりをしっかりしておけよ」

るいにささやいて、夜の中にとび出した。

東吾も嘉助も、足は速い。

日本橋川を遡(さかのぼ)って、一石橋のところからお堀端に出ると、むこうに常盤橋御門がみえてくる。

それを通り越して、ひたすらお堀端に沿って行くと、神田橋御門。

千代田城とお堀をはさんだ、こちら側が護持院の原であった。

夏と秋には、江戸の町人たちの散策の場所になるが、冬から春にかけては、将軍の御遊猟のあることから、立ち入りを禁じている。

もっとも、柵をめぐらしてあるわけでもなく、番人がいるのでもないが、なにしろ、大樹が茂り、草茫々の野っ原で、お堀の上を渡って来る風が冷たく吹き上げている場所だから、好んで近づく酔狂な輩もない。

殊に夜は、怖いような景色であった。

お堀と反対側は武家屋敷で、こっちもひっそりと暗い。

月は雲の中であった。

東吾と嘉助は、用心深く大名屋敷の塀に沿って錦小路と呼ばれる側から二番原に近づいて行った。

原について、小路を左にまがる。

右側が武家屋敷、左が護持院の原であった。

暗い中に、人の気配があった。それも、二人らしい。

嘉助がそっと東吾の袖を引いた。

塀の上に、けものの眼が光っている。原のほうからも、黒いかたまりが闇を走って、音もなく塀の上に跳ぶ。

その塀のむこうで、男の叫び声が聞えた。

とたんに、今まで動かずにいた人の気配がそろそろと塀について移動した。二人の中の一人が、たまりかねたように提灯に火をつける。

「長助ではないか」

東吾が低く声をかけ、長助と伝三は地獄で仏といった恰好で走り寄ってきた。

「久之助が、この屋敷の中へ入ったらしいんで……」

提灯のあかりが照らし出したのは、旗本屋敷の入口のようであった。

門が少し開いていて、そのむこうはまっ暗であった。

提灯を思い切り、突き出してみると、玄関には十文字に板が釘づけにされている。

「こりゃあ、空屋敷だな」

東吾が一歩、門の内へふみ込むと、その辺りに、青白いけものの眼が光った。

「若先生、猫でございます」

嘉助も、用意の提灯をつけていた。

うっと低い声をあげて、伝三が長助にしがみついた。しがみつかれた長助のほうも、暫くは声が出ない。

猫、猫、猫であった。

暗闇の中に目が光り、うずくまってこっちを窺っている。何匹いるのか、見廻しただけでも七、八匹、いや、それ以上の猫が背を丸め、うなり声をあげて突然の闖入者(ちんにゅうしゃ)を警戒していた。

「血の匂いが致します」

嘉助が、ささやいた。

四人がひとかたまりになって建物の裏側へ廻って行った。

猫の群は、四人を取り囲むようにして、ついて来る。

雨戸が一つ、はずれている部屋があった。

嘉助が、そこへ提灯をのばす。

女が投げ出されたような恰好で倒れていた。

首には紐が巻きつけられ、下半身をむき出しにして、その白っぽい下腹部に帯のほうから伝わってきた血が、かたまってこびりついている。

三

長助が八丁堀へ走って、畝源三郎に知らせ、畝源三郎が奉行所へ手配を願い出て、漸く護持院の原に隣接する一軒の武家屋敷の中へ、町方が探索のために立ち入りを許されたのは、すっかり朝になってからのことである。

もっとも、それは正式のことであって、東吾と伝三、それに長助が八丁堀から戻って来て、交替に大川端へ帰って行った嘉助の三人は死体発見からずっと、屋敷の中にいた。

で、庭の空井戸の中に落ちていた久之助が救出されたのも、案外、早かった。

その井戸は、この屋敷の持ち主である山本要之助の家人が、或る理由で埋めかけていたもので、一間半ほどの深さになっていた。

それでも、久之助は落ちた拍子に強く腰を打ち、右足をくじいたあげく、手足や顔にまで、すりむき傷を作っていて、助け上げられた時には半死半生の体であった。

死体の女は、おすがで、こちらは検屍の結果、殺害後、半日以上を経過しているとわかった。

ということは、行方不明になった日の夕方には死んでいたことになる。

夜があけて改めて東吾達がぎょっとしたのは、屋敷中、猫だらけだった点であった。

ざっと数えて三十四、護持院の原のほうへ遊びに行った奴も加えると四十四以上の猫がこの空屋敷を住いにしているらしい。

「旗本の山本要之助殿というのが当主ですが、まだ三歳で、母親と一緒に、母親の実家方で暮しているそうです」

それというのも、先代の山本慎之助というのが、若死してしまったからだが

「先代の母親、つまり山本要之助の祖母に当るのが、異常なほどの猫好きで、その当時でも二十四以上の猫が、この屋敷に飼われていたとかで……」

その隠居と要之助の母親とは、いわゆる姑と嫁の仲で、どうもうまく行っていない。

「おまけに、屋敷中に二十四もの猫を飼っているのでは、若い未亡人としては気味が悪くて、到底、一緒に住めたものではない。それで、親類方の許しを得て、赤ん坊の要之助をつれて、里方へ帰ったというのですが……」

猫気違いの隠居のほうも、昨年の暮に死んで、屋敷は無人のまま、放置されていた。

「例の井戸ですが、猫が落ちるといけないといって、隠居が埋めさせたんだそうで……」

奉公人のほうも、隠居が生きている中から一人去り、二人去りで、隠居が死んだあと、この屋敷の留守をしようという者は、一人もいなかったというくらい、猫屋敷は荒れ果てていた。

「それにしても、山形屋の手代は、なんで、この屋敷へ入り込んだものでしょうか」

その取調べは、久之助の手当の済むのを待って、畝源三郎が行った。

久之助が、まだ恐怖のさめやらぬ様子で申しのべたのは、次のようなことである。

三百両の金を風呂敷に包み、それを背中にくくりつけて、山形屋の店を出て、丑の刻と思われる時刻に護持院の原に着いた。

「たしか、二番原の真ん中あたりの太い欅（けやき）の木のところでございました。いきなり、男が手前

の手を摑み、ぐいぐい、ひっぱって歩き出しまして……」

怖しさに声も出ず、提灯の灯は、護持院の原へついた時に、風で消えてしまっていて、まっ暗な中を、やみくもに歩かされて、気がついた時は、あの屋敷の中へ入っていたという。

「庭のようなところへ出ると、男が手前の背中の金包を取ろうと致しますので、どうか、お嬢さんに会わせてくれと申しまして、つかみ合いのようなことになりました。手前は突き倒され、井戸の中へ投げ込まれたのでございます」

無論、金包は相手に奪われて、井戸の中では、かなりの間、気を失っていたようであるが、人の声で意識が戻った時は、朝陽が薄くさし込んでいて、それがなによりも心強かったといった。

同じ屋敷の中に、おすがの死体があったことは全く知らず、無数の猫のことも

「あまりの怖しさに逆上していたのか、気がつきませんでした」

と答えた。

久之助の話を裏付けたのは、あとを尾けていた伝三で

「護持院の原のとばくちのあたりで、久之助の提灯が消えてしまい、それまでは提灯をめあてに尾けて来ましたんで、相手がどこにいるのか、まるでわからなくなっちまいました」

仕方がないので、地面を這うようにして原の中を行くと、まっ暗な中で、久之助がへえへえと返事をしている声が聞えた。

それで、そっちのほうへ行くと、落葉や枯れ枝をふんで行く足音が、かすかに聞える。地面

に耳をつけるようにして、ついて行くと道に出て、そこで、同じように原の中から出て来た長助と出会ったという。

長助のほうも似たりよったりで

「最初は二番原の一ッ橋寄りのあたりに張り込んでいたんですが、遠くのほうに、久之助の提灯のあかりがみえて、それが、すぐに消えちまった。こいつはいけねえと、そっちのほうへ忍び足で近づいて行きますと、まっ暗な中で、人の声が聞えました」

耳をすましますと、どうやら久之助が誰かに脅されている様子で

「なにしろ、鼻をつままれたってわからねえくらいの、真の闇なんですから、どっちへ久之助が歩いて行くのか、全く、わかりゃしません。それで、やっぱり、足音をたよりにそっちのほうへ行きまして……」

武家屋敷の並んでいるところへ出て、伝三とぶつかった。

「久之助が、あの屋敷へ入ったのも、姿はみえません。ただ、門がきしんで開いたような音がしましたんで……入ったんじゃねえかと……」

真暗闇の追跡が、どのくらい困難だったかは、東吾も同様であった。

大名屋敷と旗本屋敷の、この附近は常夜燈一つなかった。

丑の刻、屋敷内の灯はすっかり消えているし、それでなくとも広大な庭に囲まれた屋敷ばかりであった。

月でもあればともかく、昨夜のような真の闇では、提灯なしに歩くのは至難の業であった。

久之助が持っていた提灯の灯が消えてしまった時点で、張り込んでいた長助も、尾けて来た伝三も、目標を失い、まるで盲人が追跡しているような状態になった。

無論、それは一足遅れて現場に到着した東吾と嘉助も同様であった。

久之助の取調べが終って、奉行所からは松五郎を、山形屋の娘殺し、並びに三百両を強奪した曲者として手配が廻された。

始末が悪いのは、相手が渡り者の武家奉公で、土屋家をお暇になってから、どこの屋敷に奉公しているのか、見当がつかない点であった。

大名、旗本の屋敷でも正規に召抱えている者はともかく、渡り者はわかりにくい。名前は変えてしまっているだろうし、人相書を廻したところで、上のほうの者には、わかるわけがなかった。

「松五郎が下手人として、奴は、どこから逃げたのでしょうか」

東吾と一緒に、空屋敷の中を調べていた畝源三郎がいった。

「この屋敷は、出入口は一つしかありません」

久之助や東吾たちが入った門であった。もう一つの裏口は板が打ちつけられていて、出入りした形跡はない。

門も裏口も、護持院の原に向った路地についていた。屋敷の、他の三方はいずれも大名屋敷、或いは旗本屋敷に隣接していた。

境目は、かなり高い塀で区切られている。

「東吾さんが、おすがの死体をみつけた時、他の三人は一緒だったんですか」

嘉助、長助、伝三の三人である。

「一緒だったが……」

「そうすると、下手人は東吾さんたちが屋敷の中へ入ったのをみすまして、門から逃げ出したということは考えられますか」

「出来ないことではないが、かなりむずかしいだろうな」

東吾と源三郎が立っているのは、おすがの死体のあった部屋の外であった。その位置からは、門がみえている。

「俺と嘉助は、部屋に入った。しかし、伝三と長助は外にいたんだ。おまけに、提灯に火が入っている」

提灯のあかりは微々たるものだが、それでも闇ではなかった。

「誰かが、門から逃げ出せば、長助か伝三が気がつく可能性がある」

おすがの死体をみつけてからは、嘉助が門のところに張り番に立った。

「伝三も一緒だった。俺はあっちこっち歩き廻っていたが……」

やがて畝源三郎もかけつけて来たし、門のところには奉行所の人間も立った。

「到底、抜け出せまい」

「とすると、東吾さんたちが、この屋敷に近づく前ですか」

「そいつは無理だろう」

伝三と長助は、ともかく地を這うようにして久之助のあとを追って来た。

「久之助が、門を入る音を聞いて、ここへやって来たんだ」

東吾と嘉助が、錦小路からこの道へ入った時、長助と伝三は、空屋敷の門の外にいた。

「下手人は、久之助をこの屋敷の庭へつれて行って、そこで久之助と揉み合って、金を奪い、彼を井戸へ突き落して逃げたのだろう」

久之助がここへ入ってから、少くとも、それだけの時間がかかっているのであった。

「俺達が門へたどりつく以前に逃げるというのは、時間的に不可能だ」

「門から逃げなかったとなると、塀のほうですか」

大名屋敷との境の塀を源三郎が見上げた。

「松五郎は武家屋敷を渡り歩く中間だ。大名屋敷のことは、よく知っているだろうよ」

とにかく、だだっ広いから、真夜中に隣屋敷から塀を乗り越えて入って来た者が、裏木戸を開けて出て行ったとしても、まず、わかりはしない。

実際、今までに町方が捕えた盗っ人で、武家屋敷ばかりを荒した奴は、取調べに対して大名屋敷ほど、盗みに入りやすいところはないと白状しているくらいであった。

「そっちから逃げたとなると、厄介ですな」

空屋敷の探索を、他の者にまかせて、東吾と源三郎はそこを立ち去った。入口は町方がかためて、許可なく人の出入りを禁じている。

本石町の山形屋へ行ってみると、通夜の仕度が始まっていた。

一人娘のむごたらしい死で、主人の宗五郎は病間にとじこもったきりで、女房のお由良が介抱しているという。

奉公人の部屋では、全身、打ち身だらけの久之助が、苦しげな様子で布団に横たわっていた。それを見舞って、表へ出てくると、東吾は葬儀の打ち合せをしていた番頭の吉左衛門をすみへ呼んで訊いた。

「今更、なんだが、この前の時のことを、少しばかり話してくれないか」

半年前に、はじめておすがが居なくなり、脅迫状が来て、松五郎に百両、欺しとられた時のことである。

「あの時、百両を持って行ったのは、誰だったんだ」

「久之助でございます。投げ込まれた文に、今回同様、久之助に持たせろと書いてございまして……」

「場所は、やっぱり護持院の原か」

「いえ、柳原でございました」

「その時、久之助はなぐられて、金を奪られでもしたのか」

「手前共が、久之助から聞きました限りでは、柳原の土手のところへ参りますと、暗がりからお嬢さんが出てきて声をかけたそうでございます。そうしまして、松五郎が金を受け取り、とっとと帰れと申して突きとばしたとかで、久之助は仰天して逃げて帰って参りました。旦那様にその話をしている最中に、お嬢さんが帰って来られまして……」

「その時の投げ文をみたのか」

「へえ」

「今度のと、どうだ。同じ筆蹟と思うか」

吉左衛門が頭へ手をやった。

「そうおっしゃられますと……」

文面はそっくりだが、文字は少し違ったように思うといった。

「くらべてみたわけではございませんので、たしかなことは申しかねます」

東吾がうなずき、山形屋の店を出た。

かわせみへ戻って来たのは午すぎであった。待ちかねていたるいが、すぐに膳を出す。

「東吾さんは、松五郎という男の仕業だと思いますか」

そそくさと飯をかきこみながら、源三郎が訊ね、東吾は苦笑した。

「松五郎でなけりゃ誰なんだ」

護持院の原から駿河台にかけては、大名、旗本の屋敷ばかりであった。出入りの商人は限られているし、一般の町人の近づく場所でもない。

それに、山本要之助の屋敷が無人になっているのは、近所でもあまり知られていなかった。

空屋敷なら人殺しにも、金を奪うにも便利には違いない。

「渡り中間なら、どこかで、あの屋敷のことを小耳に、はさんだということもあるが……」

るいが眉をひそめながら、訊いた。

「他に下手人のお心当りがおありですの」

「源さんは、俺に久之助といわせたいらしいんだな」

給仕をしていたお吉が突拍子もない声をあげた。

「久之助って、あの、山形屋さんの手代ですか」

東吾が笑った。

「ひっかかるのは、二度とも、投げ文に金を持って来る人間を久之助と名指していることだ」

「そりゃあ女みたいにか弱い人だから……」

「空屋敷からは、隣の塀を乗り越えない限り、逃げ出した奴がいねえんだ。となると、久之助の一人芝居ってことが考えられなくはないんだがね。問題は三百両だ」

井戸から助け出された久之助は、金を持っていなかった。

「持って出た人間がなけりゃ、三百両はあの屋敷の中だ」

朝から町方が空屋敷の中を山本家の許しを得て探索をしている。それは、三百両の行方を求めて、邸内をしらみつぶしに調べているのでもあった。

「三百両が出てくりゃあなあ」

東吾の呟きに、お吉がいった。

「大変なことですよ。広いお屋敷なんでしょうし、土を掘って埋めたり、床下に投げ込んだりしてたひには……」

「そう厄介なところには、かくしてねえと思うんだ。もし、久之助がやったことなら、いずれは、金を取り出しに来なけりゃならねえ。その時のために、わかりやすくて、手っとり早い場所を考えたに違えねえんだが……」

飯が済むと、源三郎は駿河台へひき返して行った。

東吾のほうは、昼風呂に入って、るいの部屋で、のんびりと午寝をしている。

年の暮の宿屋稼業は、けっこう忙しいのに、恋人が来ているだけで、るいはそわそわし、なにかというと居間をのぞいてばかりいた。

夕方になって、るいが何度目かに、そっと襖を開けてみると、東吾は眼をあけて、天井を睨んでいた。るいの姿をみると、起き上って炬燵のほうへ行く。

「どうも、猫って奴が気に入らねえな」

「山本様のお屋敷のことですか」

殺人事件のあった屋敷に、何十四もの猫が棲んでいたときかされて、るいは気味悪そうであった。

「その中、瓦版売りが書くかも知れませんね。三味線屋の娘が、化け猫屋敷で殺された。畢竟、猫のたたりだなんて……」

酒の仕度を運んで来たお吉がいう。東吾が顔を上げた。

「三味線屋ってのは、猫に関係があるのか」

「いやですよ、若先生、猫の皮は三味線の皮って、女子供だって知ってますのに……」

傍から、るいがお吉をたしなめるように見た。

「山形屋さんは、三味線を売るほうだもの、別に猫を殺すわけじゃなし……」

東吾がるいの膝に手をかけた。

「猫を殺すのは、誰なんだ」

「そりゃ三味線を作る人ですよ。でも、その職人さんだって、おそらく、猫の皮を買うだけで、別につかまえて来て殺すわけはないと思いますよ」

「山形屋には、そういう職人が出入りをしているんだろうな」

そこへ長助がやって来たと、嘉助が取り次いで来た。

「例の空屋敷のほうは、夕方まで調べ尽したそうですが、金は出て来なかったそうで、畝の旦那が、一応、若先生に申し上げるようにってんで、長助親分が寄ってくれたそうです」

「長助を呼んでくれよ」

手足が汚れているので、と、長助は遠慮そうに庭へ顔を出した。

「久之助が突き落された井戸だが、あの中は調べたのか」

「へえ、あっしのところの若い者が伝三と一緒に縄梯子で下りてみましたが、中には猫が三、四匹も死んでいまして……、なんともいやな感じだといって上って来ました」

無論、井戸のへりや底のほうも調べたが、三百両が、かくしてある様子もない。

「あっしも、のぞいてみたんですが、井戸の内側まで草が茂って、蔓草(つるくさ)が垂れています。どうも、気味の悪いことで……」

蔓草は、久之助が井戸へ落ちる時に、夢中でつかんだものだろうか、途中で千切れて底のほうにまで細く続いていたという。

「だからといって、人間が、それにつかまって井戸へ下りられるってものでもありません。ひょいとひっぱっただけで、切れちまうような他愛のねえもので……」

「疲れているところを、すまねえが、山形屋で訊いてみてくれないか、久之助はいくつの時から山形屋に奉公していて、親は、どういう素性の者だったか」

東吾が縁側へ出て、長助の耳に口を寄せるようにして、ささやいた。

「承知しました。行って参ります」

長助がとび出して行き、東吾はるいのお酌で徳利を二本空けた。

八丁堀の屋敷へ帰る時は、あまり酒を飲まない東吾なので、るいは、ほっとしていた。今夜は泊って行くつもりらしいと察したからである。

だが、野暮な使いは一刻ばかり後にやって来た。長助のところの若い者で、東吾はやっぱり、そいつと一緒に出かけて行った。

深夜の護持院の原は、風がうなり声を上げていた。

昨夜よりも寒い。そのかわり、月が出ていた。

月光をたよりに、東吾は山本要之助の空屋敷へ近づいた。町方は、すべてひき上げてしまったらしく、あたりに人影はない。

が、庭へ入って行くと

「東吾さんのおっしゃった通りでしたよ」

井戸をのぞいていた畝源三郎が、ふりむいた。

ごそごそと井戸の中から、お手先が縄梯子を伝って這い上って来たところである。

「餌はまいたのか」

「早速、まいて来ました。早いほうがいいですからね」

「どんな餌だ」

「空屋敷は、山本家のほうから苦情が来て、今日限りで町方は手をひいた。ただ、久之助の落ちた井戸だけは、今後も誰かが迷い込んで落ちでもすると危いから、明日、人足を入れてすっかり埋めてしまうことになった、と、こんなふうに山形屋で話して来ました」

「すると、今夜か」

「医者の話では、くじいた足も、それほどひどくないそうですから、まあ、来るでしょうな」

間もなく、伝三が息を切らしてかけつけて来た。

「久之助が、山形屋を抜け出しました。奴は思ったより元気で、びっこもひいていません」

月光を避けるように、東吾も源三郎も長助も伝三も、捕方のすべてが屋敷のそこここへかくれた。

あとは猫の声と、暗がりに光る目と。

久之助は、半刻ばかりで猫屋敷へ入って来た。用心深く、あたりを見廻しながら井戸に近づく。井戸端を探って蔓草のどこかを丹念にたぐり上げ出した。

月の光でみると、それは蔓草ではなく、ぴんと張った細い糸であった。やがて、井戸から、糸につるした物体が上ってくる。

東吾の横にひそんでいた長助が、息を吞んだ。月光の中で、久之助がひき上げたのは猫の死体であった。

持って来た布袋に、猫を入れようとした時、源三郎が音もなく、久之助の背後に立った。

そして、井戸のむこう側からは東吾がのんびり声をかけた。

「お前、井戸の中に、なにを忘れて来たんだ」

翌日の午後、東吾は源三郎とかわせみへやって来た。

例によって、るいの部屋には忽ち、嘉助とお吉が集って来る。

「どうも、今度の一件は、お吉さんのお手柄のようですよ。手前も、東吾さんも、三味線が猫の皮とは知りませんでしたから……」

源三郎が笑い、東吾が待ちかねているみんなに謎ときをはじめた。

「久之助の父親は三味線作りの職人だったそうだ。子供の頃の久之助は、よく猫を捕えに行かされたらしい」

が、職人としては不器用で、とてもものにならない。父親の縁で山形屋へ奉公したのはそのせいだったが、猫を捕えるのだけは上手で、知り合いの職人から頼まれては、内緒で猫狩りをしていた。

「それで、護持院の原に野良猫がいる。その棲家が山本家の空屋敷なことを知っていたんだ」

「それにしても、なんだって、山形屋のおすがさんを殺したんで……」

と嘉助。

「久之助は、おすがに惚れていた。ところが小柄で風采の上らない久之助を、おすがは馬鹿にし切っていた。おまけに、猫を捕えて職人に売って、こづかい稼ぎをしているのをおすがにみつかって、猫殺しとさげすまれ、そんな奴は店においておけないと叱られたりしたのを怨みに思った。たまたま、おすがの恋人の松五郎、こいつも悪い男で、おすがをだまして一狂言打って、百両という金を手に入れたんだが、それをみて、久之助が悪心をおこしたんだ。どっちみち、かなわぬ恋なら色と欲で怨みを晴らしたい。それが今度の芝居だったんだ」

いい具合に、松五郎は百両は手にしたし、おすがには未練がない。あまり、つき合っていては、むしろ、足許から火がつきそうだと、体よく、おすがから遠ざかっていた。

「久之助は、おすがに松五郎が、もう一狂言うってくれれば、かけおちでもして夫婦になるといっていると欺したんだ。それで、おすがを松五郎が待っているといい、猫屋敷へ連れて行って、殺害し、死体を辱かしめた。あとは久之助の一人芝居さ」

食えなかったのは、三百両の金のかくし方で

「あらかじめ、死猫の腹を裂いて、その皮を糸で荒っぽくかがっておいた奴を井戸の中に琴糸でつるしておいたんだ」

琴糸は茶色に染めて、蔓草や井戸べりの間へ巧妙に這わせて井戸の上で止めておく。

「井戸の中へ落ちたふりをして、猫の死骸の中に三百両をかくし、糸をひっぱって腹を縫い合

せる。そいつを、他の猫の死体の下に押し込んで目立たないようにしておいたんだ」

あとで忍んで来た時は、上から琴糸をひき上げると、三百両を腹の中へ縫い込んだ猫の死骸が上ってくるという寸法で

「琴糸って奴は、丈夫なもんだなあ、俺も源さんも弓の弦(つる)が丈夫なのは知っていたが、あんなに細い奴が三百両をやすやすつり上げるのには、驚いたよ」

一件は落着したが、長助も伝三も、今のところ、猫の姿をみただけで青くなって吐き気をもよおすという。

源三郎が帰ってから、東吾は、るいをひきよせた。話をきいていただけで、顔色が悪くなっているのをみて、ささやいた。

「おい、化け猫なんて、この世にいやあしねえんだぜ」

それでも浮かぬ顔の頰のあたりを突いた。

「心配するな、るいが猫の夢をみて、うなされなくなるまで、俺は、かわせみに泊っててやるからさ」

どこかで猫の啼き声がし、るいは東吾に抱きついた。

藍染川（あいぞめがわ）

一

二、三日、暖かい日が続いて、隅田川の水もぬるんだかと思われる午下りに、神林東吾は兄の使いで、本所の麻生家を訪ねた。

町奉行所には古くからの慣例で、諸大名が参勤交代の折、その領国の銘酒、銘菓などのつけ届けがある。

神林通之進の妻の父、麻生源右衛門は酒豪ではないが、最近、夕餉（ゆうげ）の折に少々の晩酌をたしなむようになったと聞いて、たまたま、到来物の加賀の酒をお届けせよ、と兄がいい出したためである。

で、東吾は左手に酒樽、右手には同じく加賀の菓子の包を下げて、八丁堀から本所まで春風の中を歩いて来たものだ。

西丸御留守居役の麻生源右衛門は出仕中で、娘の七重（ななえ）が玄関まで出迎えてくれたが、その東吾と入れかわりのように、客が一人、丁寧に挨拶をして帰って行った。

「井筒屋と申す茶道具屋の番頭でございますの」

居間へ東吾を案内しながら、七重がいった。

「先だって、父が店へ参って、気に入った備前の水差を届けに参ったのですけれど……」

居間の奥が四畳半で、茶室風に炉が切ってある。今日は、そこに釜がかけてあった。

「お茶の稽古をしていましたの」

酒と菓子の礼を述べてから、別にいった。

「よろしかったら、一服、さし上げましょうか」

東吾はあっさりうなずいて、茶室へ入った。

「そうだな、頂こうか」

「お珍しいこと」

自分から勧めたくせに、七重が笑い出した。

「いつもでしたら、七重の茶など、苦くて飲めるかっておっしゃるのに……」

「茶は宿酔（ふつかよい）に効くんだろう」

流石（さすが）に茶室だから、あぐらはかかず、東吾にしては神妙に端座して訊いた。

「宿酔でいらっしゃいますの」

「というほどでもないが、まだ、頭がぼんやりしているんだ」

「どちらで召し上ったのですか」

釜の湯のたぎり具合をみて、水をさしながら訊く。

「怖い顔をするなよ」

「おるい様のところでしたら、宿酔をなさるほど召し上りませんでしょう」

「いやな奴だな」

苦笑して、東吾は白状した。

「深川の長助の孫娘が初節句なんだ。源さんと俺で雛人形を祝ってやることになって、昨日、届けたんだが、長助の奴が有頂天になっちまいやがってさ」

「殿方お三人のお酒盛で、東吾様が宿酔におなりになるほど、召し上りますかしら」

「驚いたな、いつの間に、そんな口をきくようになったんだ」

「女も年をとると意地悪になりますの」

志野の茶碗に濃緑の薄茶がやさしい手で点った。

一服すると口中が爽やかになって、心身共にすっきりする。

七重はいくつになったのだろうと、東吾は胸の中で指を折った。

東吾より五歳年下だから、今年、二十二、この頃の女としては、明らかに嫁き遅れであった。

「いい加減に聟を決めろよ」

つとめて、兄の口調でいってみた。が、自分の言葉が、なんとも虚々しい、七重の心中を知り尽していて、そうした勧め方をするのは、我ながら無神経かと思う。

「来て下さる方がありませんもの」

東吾が戻した茶碗に新しい湯を注ぎ、すすいでいる。

「そんなことはあるまい。聟に来たい、嫁に欲しいという男が、ひしめいているそうだ」

麻生家は裕福であった。主の麻生源右衛門は頑固者だが、娘の七重は本所小町といわれる美人である。気が優しく、おきゃんなところがあるかと思うと、慎ましい。相手を傷つけることは決して口にするまいというような、いじらしいところもある。

「もう一服、召し上りますか」

うつむいたまま、訊いた。

「そうだな」

ぽつんと言葉が切れて、七重は作法通りに二服目の点前をしている。

「俺が、もっと要領のいい男だと、よかったのかも知れないな」

心の底にあるものが、口を出た。

るいを好きなのは、もとよりだが、七重にしたところで嫌いではない。嫌いどころか、時には抱きしめたいほど、男心をゆすぶられることがある。

「先刻、ごらんになりましたでしょう。井筒屋の番頭……吉次郎さんと申すのですけれど、お店のことで、とても心痛して居りましたの」

さりげなく、七重が話題を変えた。

この娘は、いつもそうだと東吾は思った。

二人きりで向い合っていて、気持が抜きさしならないところへたどりつく寸前に、身をかわして、その場の雰囲気を変えてしまう。それが、いつまで経っても、東吾と七重を他人のままにしているようでもあった。

「なにを困っているんだ。井筒屋の番頭は」

もやもやしたものを吹きとばして、東吾もいつもの表情に戻った。

「東吾様は、御存じですの、井筒屋の御主人を……」

「いや、知らん。俺は茶道具屋には縁がないんだ」

「御養子なんですって。おかみさんが家付娘で……御夫婦の間に子供がありません。それで、おかみさんの姪に当る人を養女にして、いずれ、その人にお聟さんをもらって井筒屋を継がせる筈でしたの」

「成程……」

「家付娘のおかみさんが、昨年、歿って……そうしましたら、御主人の徳右衛門さんが、自分には他に出来た子供があるといい出して……」

「そいつは、よくある話だよ」

東吾が笑った。

「家付娘のおっかねえかみさんの目を盗んで、他に女を作る、女房の目の光っている中はどうしようもないが、死んだとたんにそっちの女を後釜にすえようとか、子供を家へ入れようとか……」

「七重の申し上げることを、先走りなさらないで下さいまし」

茶碗を、東吾の膝の前へおいて、七重が悪戯っぽく口をとがらせた。

「違ったか」

「家に入れたくとも、その女の人も子供さんも行方知れずなんです」

「なんで、そんなことになったんだ」

「番頭の話ですと、おかみさんにかんづかれそうになって、慌てて、お金をやって切れたんですって」

「子供もいるのにか」

「生まれたばっかりの男の子だったそうですよ」

七重が眉をひそめるようにした。

「今、生きていれば二十三歳ですって」

「なんで行方不明になっちまったんだ」

女房の手前、別れねばならなかったにせよ、人を介してでも、連絡ぐらいはつけられる筈だと東吾はいった。

「鳥越のほうに住んでいて、浅草の大火で焼け出された時に面倒をみてもらった人といい仲になって、どこかへ行ってしまったんですって……」

「赤ん坊も一緒にか」

「多分、そうじゃありませんか」

「頼りねえ話だな。それじゃ生きてるか死んでるかわかりゃしねえな」

「ええ、ですから、井筒屋さんでは、あちこちに人を頼んで、行方を調べさせているそうですよ」

「今頃になって、そんなことをするくらいなら、なんで別れたんだ。せめて、子供だけでも引き取っておくとか……」

「おかみさんに遠慮して、出来なかったんでしょう」

「いくら養子だからって、夫婦なら夫婦らしく、もうちっと話し合いでもすりゃあいいんだ」

「おかみさんに話すんですか。外の女に子供が出来た、ひきとってくれって……」

「仕様がねえだろう、手前のしくじりなんだ」

「おかみさんが許さなかったら……」

「別れるより仕方がねえだろう。そんな、おっかねえ女のところは、とび出して、惚れた女の力になってやる……」

「惚れた女のほうも、あまりいい女じゃなかったみたい。井筒屋さんの御主人の他にも男の人がいたりして……」

「やれやれ、くだらねえ」

茶室を出て居間へ行ってみると、雛飾りが出来ていた。

「そんな埒もねえ話を神妙に聞いてやっていたのか」

「気になることがあったからですわ」

「なんだ」

「井筒屋に、とても美男の手代がいますの、清太郎っていう人ですけれど、その人と井筒屋さんの娘さん、つまり養女のお光さんとがいい仲なんです。だから、さきざき、清太郎って人がお光さんと夫婦になって井筒屋を継ぐだろうっていわれていたのに、御主人のかくし子なんていうのが出て来たら、どうなるかと思って……」

「七重も野次馬だな」

他愛もないお喋りをしているところへ、麻生源右衛門が帰って来て、結局、東吾は老人の晩酌の相手をし、更けてから八丁堀へ帰った。

大川端の「かわせみ」へ寄らなかったのは、なんとなく、七重にも、るいにも、気をかねたからであった。別に、七重と、なにがあるわけでもないが、そういうことに関して東吾はいささか潔癖すぎる男でもある。

が、その同じ日の夕方、かわせみに一人の若い男が宿を求めた。

風体は堅気な町人だが、体つきにやくざなものが感じられる。といって人相は悪くなかった。あとでわかったことだが笑うと男のくせに、片頰にえくぼが浮んで、愛敬のある甘い風貌である。

普通だったら、この手の客は、嘉助が断る筈であった。

断りそびれたのは、かわせみの暖簾をくぐって来た時、その男が顔面蒼白で脂汗を流していたからである。体を海老のようにまげて、右手で横腹を押えている。殆ど口もきけず、土間へ倒れ込んでしまった男を、嘉助は自分で介抱してみて、仮病ではないとわかった。

すぐに医者が呼ばれ、若い男は、玄関から比較的近い客部屋へ布団を敷いて寝かせた。

かわせみに出入りしている医者が蘭方医だったことも、若い男に幸いした。

下腹の内臓のごく小さい一部が炎症を起していて、悪くすると命取りになるという。

実際、ひと晩中、若い男はうめき苦しんだ。

薬が効いて来たのは夜明けになってからである。病状も、そのあたりが峠だったらしい。

痛みが去ると、若い男は死んだようにねむった。

嘉助が、たまたま町廻りでかわせみへ立ち寄った畝源三郎に、その男のことを話したのが正午すぎで、熟睡した男は、やや顔色もよくなって、医者の指示で重湯を少し飲み、二度目の投薬を受けたところであった。

「今はまだ話をするのは無理でしょう。順調に行けば、明日にはかなり良くなると思いますので……」

取調べは、それからにしてもらいたいという医者の勧めで、畝源三郎はそのまま、八丁堀へ向った。

行く先は、勿論、神林家である。

東吾は座敷にいた。今日は、兄嫁の香苗が雛飾りをするというので、倉から雛人形を出す手伝いが終ったところであった。

「申しわけありませんが、かわせみに少々、不審な客が居りまして、東吾さんに手伝って頂きたいことが出来ましたので……」

鹿爪らしく畝源三郎がいい、それで東吾は天下晴れて、座敷をとび出した。

道々、源三郎が事情を話す。

「手前は、その男に会って居りませんが、嘉助の話では、どうも、まともではないと申して居ります。只今は病人で動けませんが、万一のことを考えて、東吾さんにかわせみへ泊って頂こうという、なかなか粋な配慮だとは思いませんか」

源三郎に笑われて、東吾も苦笑した。

大川端で源三郎と別れ、まっしぐらにかわせみへ行くと、ちょうど医者が帰りかけるところで、るいが店先にいた。

「源さんが、二、三日、かわせみへ夜番に行けとさ」

そういっただけで、るいも嘉助も嬉しそうな顔をした。

もっとも、肝腎の相手は布団をかぶって睡りこけていて、到底、夜番の必要はありそうにない。

その夜は、るいの部屋へ泊って、翌朝、東吾は改めて、男の顔をのぞいてみた。

お吉に助けられて重湯を飯がわりにしている男は、無精髭（ぶしょうひげ）が生え、眼がくぼんでみるかげもないが、成程、嘉助のいう通り、どこやら、まともでないふうがある。

「名前は新之助というそうですよ」

重湯の茶碗を台所へ下げてから、お吉がるいの居間へ来て報告した。

「品川から来たんだっていってます。本所へ行く途中だとか……」

「本所に知り合いがあるのか」

と東吾が訊いた。

「そこんところが、はっきりしないんですけれど、人をたずねて行くとかいってました」

やがて医者が来、畝源三郎も来た。

「若いというのはたいしたものですな。回復力が早いのに驚きましたよ」

帳場へ戻って来た医者は愁眉(しゅうび)を開いたが、入れかわりに、病人と話して来た畝源三郎はいささか当惑した表情であった。

「おるいさんは、本所の茶道具屋で、井筒屋というのを御存じですか」

源三郎の問いに、るいはいいえと答えたが、その横から東吾がどなった。

「井筒屋なら、俺が知ってるぞ」

「なんで、東吾さんが茶道具屋を知っているんですか」

意外そうな源三郎に、東吾はちょいと、ぼんのくぼへ手をやった。

「俺だって、それくらいの風流心はあるさ」

るいにみつめられて、白状した。

「本所の麻生家に出入りしているんだよ。一昨日、兄上の用で、むこうへ行ったら、七重の奴が喋ったんだ。井筒屋の主人が、行方知れずのかくし子を探しているんだと」

昼飯を運んで、るいの部屋へ来ていたお吉が、ひょいと口をはさんだ。

「もしかして、あの病人さんが、そのかくし子ってんですか」

「当人は、そうだといっていますがね」

東吾と向い合って膳につきながら、源三郎が少しばかり眉を寄せた。

「今まで堅気に暮して来たのではないことは、話してみればよくわかります」

「そいつは当人の罪とはいえねえだろうよ。赤ん坊の時に父親から捨てられて、母の手一つで育てられた。その母にしたって、まともじゃねえ暮し方をしているんだ。子供だけ堅気に育てってのが、どだい無理な話だ」

「井筒屋へ名乗って行くところだったんですか」

とるい。

「品川の寺で、井筒屋が自分のことを探していると訊いたそうですが……」

あまり長話は無理と医者にいわれていたので源三郎はその辺りで訊問を打ち切って来たという。

「井筒屋の倅だという証拠のようなものは持っているのか」

「なにもないようです。ただ、母親の名前がおたねというくらいで……」

ともかくも、井筒屋へ行ってみると、源三郎はいった。

「井筒屋がかくし子を探しているのなら、或る程度の手がかりはあるのかも知れません。その辺りを訊いてみて、新之助という男の申すことと一致するか、どうか」

「町方の旦那も楽じゃねえな」

東吾の声に送られて、腹ごしらえもそこそこに、かわせみをとび出す源三郎について、東吾も永代橋を渡った。

今日も陽気はいいが、風が強い。

深川の長寿庵へ寄って、長助に井筒屋の一件を訊ねると、流石に縄張り中のことでよく知っていた。

「実は、この前、おみえ下さいました時に、お耳に入れようかとも思ったんですが、たかが商家のかくし子探しで、旦那や若先生をおわずらわせることでもねえと存じまして」

別に殺人事件が起ったというのではなかった。

「その通りなんだが、かわせみへころがり込んだ病人が、そのかくし子らしいと知れたんで、黙っているわけに行かなくなったんだ」

東吾の言葉に、長助は眼を丸くした。

「なんてえ名前でございます」

「新之助……品川から来て、母親の名前はおたねというそうだ」

長助が手を打った。

「そいつは若先生、本物かも知れません」

長助が井筒屋から聞いた話では、おたねという女は、深川新地の娼妓で、井筒屋徳右衛門とは、彼が井筒屋へ養子に入る前からの馴染(なじみ)だったという。

「徳右衛門旦那は、おかみさんの眼を盗んで、おたねを落籍(ひか)させまして、浅草の鳥越の近くに妾宅をかまえていたんですが、女房の勘というのは怖いもので、忽ち、おかみさんにかんづかれまして、泣く泣く手を切ったそうです」

その時に、おたねの産んだ子をひきとらなかったのは

「おかみさんが承知しなかったってこともありますが、よもや、その後、おかみさんとの間に子供が出来ねえとは思いもよらなかったんだそうで、そういうことがわかっていたら、どんなに無理をしても、子供を手放しはしなかったといっています」

「天罰だな」

東吾が柄にもなく、真面目な顔でいった。

「女も我が子も捨てちまって、そのあと、子供が出来ねえってのは……」

源三郎が少しおかしそうに、なにかいいかけたが、それを中途でやめて、長助に訊いた。

「手を切ったあと、井筒屋はおたねの消息をまるで知らなかったのか」

「いえ、そんなこともなかったようで、鳥越の妾宅をひき払ったあと、おたねさんは浅草の知り合いに身を寄せていて、そこへ旦那が通うってことはなかったそうですが、たまに仕送りのようなことはしていたといいます。ですが、その中（うち）におたねさんに男が出来て、そのあたりで井筒屋とは本当に縁が切れちまったんでしょう。間もなく大火事があって、おたねさんは男と一緒に品川のほうへ行っちまったてんです」

そこまでは、浅草でおたねが身を寄せていた甘酒屋の話で

「品川へ行ってからの話は、甘酒屋も知りません」

「おたねの男というのは、なにをしていた奴なんだ」

「行商人だそうです。商うものはいろいろで、まあ行き当りばったりといいますか、男前は悪

くなかったようで、案外、おたねさんのほうが夢中になったんじゃありませんか」

ともかくも、井筒屋では昨年の暮から何度も品川へ人をやって、その当時のおたねの消息を調べさせたのだが

「行商人にも捨てられたようで、品川の宿場で働いていたそうですが、二、三年で病死したようです。墓は泉明寺という小さな寺にあって、時折、倅が線香をあげに来るというので、住職にことづけをして来たときいてましたが……」

新之助は墓まいりに来て、住職からその話を聞いたのではないかという。

「新之助が、なにをしているかは、井筒屋のほうでは知っているのか」

「品川で調べて来た者のいうことでは、子供の時は宿場の走り使いをしていたとかで、その中、悪いこともいろいろおぼえる。まあ、けっこう器用で人に可愛がられるたちだとかで、重宝がられていたらしいんですが、一つところに腰がきまらねえ。ぷいと出かけると一年でも二年でも帰って来ねえといった按配でして……」

「やっぱり、あいつだな」

かわせみで、しょんぼりと重湯を飲んでいた若い男の顔を思い浮べて、東吾がいった。

「井筒屋に知らせねえわけにも行くまい」

「そうですな」

男三人が相談して、結局、長助が井筒屋へ行った。

主人の徳右衛門は、すぐにやって来た。是非とも、新之助に会いたいという。

「女と手を切る時に、後日のために、なにか悴に渡してないのか、肌守とか、書付とか」

源三郎に訊かれて、徳右衛門は情なさそうに、かぶりをふった。

「左様なものは、何一つ。家内から女とも子供とも、きっぱり縁を切るように申し渡されまして……金の他には……」

永代橋を渡って大川端のかわせみへ来たのが夕刻で、ちょうどお吉が夕餉の世話をやいているところであった。

「どこやら、おたねに似ているような気が致します」

襖(ふすま)のかげからのぞいてみて、徳右衛門が眼をうるませた。

「対面しても、よろしゅうございますか」

誰も止める理由がなかった。

夕餉の終ったところで、徳右衛門が部屋へ入り、長いこと出て来なかった。

気をきかせて、かわせみの者は誰も部屋に近づかない。

半刻余りもして、徳右衛門が帳場へ戻って来た。両眼がまっ赤になっている。

「手前の気の弱さから、たった一人の悴に、長い苦労をさせてしまいました。こうしてめぐり逢えたのは、神仏のおかげでございます」

医者にも礼をいいたいし、いつ頃になれば、本所まで連れて行けるものか、相談をして来たいといい、早々にかわせみを出て行った。

新之助のほうは、お吉が茶を持って行きがてら様子をみると、仰むけに寝たまま、ぼんやり天井を眺めていたという。

「お父っつぁんに名乗られて、びっくりしちまったんでしょうかねえ。夢をみたような顔をしていましたよ」

翌日から、徳右衛門は毎日のように、かわせみへ息子の見舞に来た。番頭の吉次郎がなにやかやと運んで来て、医者から本所へ移してもよいという許しが出たのが、ちょうど雛祭の日で、新之助は井筒屋が連れて来た髪結いに、髭を剃るやら、髷(まげ)を結い直すやらしてもらって、下帯から紋付袴まで新しいものずくめに着かえ、迎えに来た父親と共に、かわせみのみんなに見送られて、駕籠(かご)で本所へ向った。

二

例年より遅く咲いた向島の桜が、四日も降り続いた大雨で、あっけなく散ってしまった頃に、東吾は再び、井筒屋の話を、七重から聞いた。

八丁堀の神林家へ、七重が茶道の稽古の帰りに、花弁餅(はなびらもち)を届けがてらに、遊びに寄ったものである。

「井筒屋の息子がみつかった話、知っているか」

東吾が訊き、七重が僅かながら、難しい表情になった。

「井筒屋では困っているみたいですよ」

意外な返事だったので、東吾は絶句した。

「なにが、困ったんだ」

涙を流しながら、息子を伴って帰って行った井筒屋徳右衛門の姿を、東吾はみたわけではないが、るいから度々、聞かされている。

「それが……、上手には申せませんが、番頭の話ですと、今までのお育ちがあんまり違いすぎたので……言葉遣いとか、暮し方とか、なにもかもが、お店と合わないと……」

「そりゃ当り前だろう。急に改めろといったって無理だろうな」

「井筒屋の奉公人が、馬鹿にするそうです。御飯の食べ方が犬のようだとか、人様の前でつま楊子(ようじ)を使うとか……」

かなり、自堕落(じだらく)な生活をして来たことは、当人がかわせみで、お吉や嘉助に話している。

「七重……」

傍から、姉の香苗が遮(さえぎ)った。

「いけません、他人(ひと)様のことを……」

「いや、いいんです。この件には手前や源さんも、かかわり合いがあるものですから……」

慌てて、東吾が弁解した。

「それで、新之助は神妙にしているのか」

「最初はおとなしくしていたそうですけれど、近頃は面白くないのでしょう。深川新地や中洲あたりへ遊びに行くとかで、番頭がとても心配していました」

夜になるのを待って、東吾は源三郎を誘って深川へ行った。

長助も、新之助の最近の行状を知っていた。

「まあ、氏より育ちっていいますか、品川の宿場で博打だ、女だと面白おかしく暮して来た者に、いきなり前掛をしめさせて、算盤(そろばん)を持たせようってほうがどうかしてますが、井筒屋の主人にしてみたら、一日も早く、大店の若旦那に仕立て上げたい、奉公人や世間の手前、恥かしくない人間にしたいと、焦っているんでしょう。その気持もわからなくはありませんが、今のところ、どうも裏目に出ているようで……」

そんな話をしているところへ、長助のところの若い者が血相変えてとび込んで来た。

井筒屋の新之助が、酒に酔って大暴れをしているという。

韋駄天(いだてん)走りに本所へ駈けつけてみると、新之助は、井筒屋へ出入りの鳶(とび)の者二人を相手にとっ組み合いをやっている。

「馬鹿者、喧嘩なら、外へ出ろ」

東吾に一喝されると、流石に、はっとしたらしく、相手の衿髪を摑んでいた手を放しおろおろしている徳右衛門を尻目に、威勢よく店をとび出して行った。

「お父っつぁん、ちょいと遊んでくらあ」

「いったい、なにがあったのだ」

畝源三郎が訊き、徳右衛門が上りかまちに膝を突いた。

「なんと申し上げてよいやら……、我が子ながら、つくづく情ないことで……」

障子のむこうでは、若い娘が泣いていた。

髪も着物も乱れ放題で、その娘を介抱しているのが、どうやら、いつか七重が話した男前の手代らしい。

「新之助さんが、お光ちゃんにちょっかいでも出したのかい」

如才なく長助が声をかけると、徳右衛門は唾でも吐きそうな顔をした。

「情ないことでございます。酒の上とはいえ、素人の娘を、まるで女郎かなんぞのように心得て……」

「旦那様……」

番頭の吉次郎が沈痛に徳右衛門に近づいた。

「あとのことは手前におまかせ下さいまし。少し、奥でおやすみになりませんことには」

畝源三郎に、頭を下げた。

「どうか、お許し下さいまし。旦那様はこのところ、夜もろくろく、おやすみになっていらっしゃいません。お医者からも気をつけるようにといわれて居りまして……」

実際、徳右衛門は、ひどく憔悴していた。

「こっちに気を遣うことはない。早く奥へ連れて行くがいい」

源三郎がいうと、お光と呼ばれた娘が走り寄って、徳右衛門を支えるようにして奥へ去った。

「おさわがせ申してあいすみません。ですが、今のままですと、旦那様がまいってしまわれます。昨夜も、こんなことなら、悴を探すのではなかったとお泣きになりまして……」

この家へ入って間もなく、誰から訊いたものか、お光が養女で、いずれは井筒屋の跡取りになる者の嫁にする心算(つもり)であると知ると、自分の身の廻りの一切は女中ではなく、お光にさせるようにいい、あげくの果ては抱きつくやら、ひっくり返すやらで

「その都度、お光さんが悲鳴をあげて逃げ廻ります。私どもも若旦那から目をはなさないように気をつけて居りましたのですが、今日はお光さんを倉の中へひっぱり込んで……すぐに手代の清太郎が気づいてかけつけまして、お光さんは無事だったんでございますが、それからの乱暴狼藉は手がつけられないほどで……」

番頭も、ほとほと、新之助に愛想を尽かした口調であった。

「新之助の出かけた先は、わかるのか」

「おそらく、深川新地でございましょう。あそこの三吉野という店が気に入って、毎夜のように出かけていますから……」

井筒屋を出て、東吾は源三郎と長助にいった。

「俺は深川新地へ行ってみる。源さんと長助は場所柄、まずいだろうから、先へ帰ってくれ」

「おるいさんに叱られても知りませんぞ」

源三郎が少々、不安そうに冗談をいったが、東吾はさっさと本所を抜けて、富岡八幡の横へ出た。

深川新地は、その頃の岡場所としては客筋のいいほうで大見世が多く、華やかであった。

春たけなわの、なまあたたかい夜のことで、そぞろ歩きの客も多く、どの見世も繁盛している。

三吉野という見世は、この土地で中の上といった格で、格子のむこうに並んでいる妓は、器量はさほどでもないが、若くてぴちぴちしたのを揃えている。

「井筒屋の若旦那が来ているだろう。友達だ、あいつの部屋へ案内してくれ」

伝法に声をかけると、少々、あっけにとられた若い衆だったが、東吾の渡した一分銀に、なにもいわず、女中を呼んでくれた。

新之助は海のみえる部屋で、やや年増の妓と酒を飲んでいた。入って来た東吾をみると、なにかいいかけたが、相方の妓に顎をしゃくった。

「知り合いが迎えに来たんだ。今夜は帰るぜ」

あっさり席を立って、外へ出る。

「旦那、まさか、番屋へひっぱって行こうってんじゃねえでしょうね」

臆病そうに笑ってみせた。

「遊びの邪魔をした上に、それほどの野暮はいわねえよ」

東吾が歩き出すと、新之助は黙ってついてくる。連れて行ったのは、富岡八幡の門前町にある鰻屋(うなぎや)で、ここの店は東吾の顔を知っている。

この頃の深川は鰻が名物であった。

小名木川、仙台堀川など、いずれも海水と真水の入り混っている水路は鰻にとって絶好の生息地で、俗に深川鰻は甚だ好味也と評判になっていた。

蒲焼で酒を二、三本。

「お前、年増好みか」

東吾が笑った。先刻の、新之助の妓は、どうみても三十二、三、下手をすると四十に近いような大年増であった。

「おっ母のことを、おぼえている妓はいねえかと思ってね。なるべく、年をくっているのを呼ぶんだが、誰も知らねえ」

「そりゃそうだろう。お前の母親があの土地にいたのは、二十二、三年も前だ。そんなに長いこと、あの商売が出来るものか」

うつむいて酒を飲んでいる新之助を眺めて、東吾は声を落した。

「お前、母親が岡場所の女だったたってことが気になるのか」

「気にゃしねえよ、気にしたって仕様がねえ。お袋は死ぬまで品川で女郎をしてたんだ」

「お袋さんが歿った時、お前、いくつだった」

「七つか、八つか、よく、おぼえてねえ」

ぼんやりおぼえているのは、浅草の火事のこと。

「品川へ行ってからは、一日中、薄暗い部屋で、ぼんやりしてたんだ。使い走りで小銭を稼ぐことをおぼえたのは、お袋の死ぬ、ちょっと前くらいだったか」

思いついたように、東吾に酌をする。

「井筒屋の居心地は、どうだ」

「悪かねえさ、今までの暮しからみたら、極楽みてえなもんだ」

「それにしちゃあ、評判が悪いぞ」

「仕方がねえんだよ。これでもせいぜいやってるんだ。ただ、物事がくい違っちまって、うまく行かねえ」

「あんまり、お父っつぁんに心配かけるなよ。猫をかぶれとは勧めねえが、郷に入らば郷に従えっていうだろう」

新之助が、正面から東吾をみつめた。

「旦那に、訊いてもいいかね」

「なんだ」

「親はいるのかい」

「いいや、母は俺が赤ん坊の時に歿った。父と別れたのも、子供の時だった」

「兄弟は……」

「兄が一人、いるよ」

「いい兄さんかい」

「少し怖いが……いい兄だ」

「一緒に暮しているのかい」

「そうだ。俺は兄貴のところの居候だ」

新之助が白い歯をみせて笑った。

「好きな女は……」

「いるさ」

「かわせみのおかみさんだろう」

「あいつは、俺の女房だ」

「他には」

「いないこともないが、女房は一人だ」

「妾は……」

「そんな甲斐性はないな」

「甲斐性があったら……」

「妾になる奴がいないよ」

新しい酒が来て、今度は東吾が新之助に注いでやった。

「お前、お袋のことで、徳右衛門を怨むのはよせ。人間にはいろいろなことがあるものだ。どんな人間だって、後悔を知らずに生きてる奴はない筈だ」

「怨んではいねえよ」

ふと、気がついて、東吾は訊いた。

「いつ、知ったんだ。本当の父親が井筒屋の主人だということを……」

「餓鬼の時から知ってたよ」

真面目な顔であった。

「お袋がいつもいってたからな。お前のお父っつぁんは井筒屋徳右衛門といって、立派な大店の旦那だと、何べん、聞かされたか知れやしねえ」

「自分から訪ねて行く気にはならなかったのか」

「全然、そんな気はなかったね。遠い国の人のようで……。自分とは縁のねえ人だと思ってたんだ」

子供の時分はともかく、世間のことが少々、わかる年頃になれば、自分の母親がどんな種類の女だったのか、何故、父親に捨てられたかも、おおよそ見当はつく、と新之助はいった。

「むこうが、お前を探していると聞くまでは、訪ねて行こうとは思わなかったね」

夜更けまで二人で飲んで、東吾は永代橋の袂で新之助と別れ、かわせみのるいの許へ帰って行った。

三

それから三日ほど経って、東吾は源三郎からの使が屋敷へ来て、大川端のかわせみへ行った。

驚いたことに、座敷には徳右衛門と、手代の清太郎、それからお光までが並んでいる。

「なにから、お話申してよいのか……」

徳右衛門は当惑そうに口を切ったが、その表情はむしろ、明るかった。

「ここに居ります清太郎が、手前の本当の倅だと名乗って参りまして……」

あっけにとられた東吾の前に、清太郎が両手を突いた。

「信じて頂けるかどうかわかりませんが、たしかに手前は、おたねの倅でございます。そのことは、手前の養母が生前、親しくして居りました神田紺屋町の染屋の女房でお篠さんというお人に訊いて頂けばわかりますでございます」

必死な面持で、清太郎の話したところによると、おたねは浅草の大火で焼け出されて品川へ行ったあと、世話をしてくれる人があって、清太郎を養子に出した。それが、神田紺屋町で髪結いをしていたお辰という女で、つまりは、清太郎の養母であった。

「手前も、おぼろげながら、その時のことはおぼえて居りますが、おっ母さんは手前にも養母にも、はっきりと、この子は本所の井筒屋の子だが、縁が切れてしまっている。それでも、父親は井筒屋徳右衛門に間違いないので、氏素性の知れない子供ではないのだから、と、くり返していいました。養母はそのことを忘れずに、手前をなんとかして井筒屋へ奉公に出したい、赤ん坊の時に縁が切れているのでは、どうしようもないが、せめて、自分の父親の店で働くことが出来れば、一生、名乗らずとも、気持は満足するだろうと申しまして、ってをみつけて、手前を井筒屋へ奉公させてくれたのでございます」

養母は、そのことを誰にも話さなかったが、たった一人、近所に住んでいて、姉妹のように親しくしていた染屋の女房にだけは打ちあけている。それがお篠という女で、今も健在だから、必ず、証人になってくれる筈だという。

徳右衛門が、その言葉に続いていった。

「手前は、早速、紺屋町に参りまして、お篠さんに会って参りました。清太郎の申すことに間違いはございませんでした」

東吾が清太郎をみた。

「お前が、おたねの悴ならば、あの新之助という男は、何者だ」

清太郎が更に深く頭を下げた。

「それにつきましては、手前の記憶がございます。紺屋町の養母の許へ参りますまで、手前は母と二人きりではございませんでした。もう一人、手前と同い年ぐらいの男の子が一緒に暮して居りまして、その子は手前のことを、あんちゃんと呼んでいたような気が致します」

といって、弟という感じではなかったと清太郎はいった。

「ただ、一緒に暮しているだけの……いってみれば、そこにその子がいたというような印象で……」

遊んだり、話したりしたという記憶はまるで、ないらしい。

「手前が養母にひきとられる時、その子は母の傍にいたような気も致しますし……」

「すると、新之助の父親は誰なのだ」

「存じません」

子供心におぼえているのは、おたねの周囲には、いつも違った顔の小父さんと呼ぶ人がいたことぐらいであった。

「新之助という人のことは、あの時の、あの子がそうなのかと思うほどで……」

「それでは、新之助が井筒屋の悴と名乗って来て、お前は真実を黙り続けていたのは何故なのだ」

「どうしていいか、わかりませんでした。自分が井筒屋の悴という証拠も、母が養母に申しただけですし……」

が、証拠のないのは新之助も同じであった。

「まことに身勝手なようでございますが、手前が、新之助と清太郎をくらべてみても、どうも、清太郎のほうが悴のように思えてなりません」

徳右衛門がいった。

「もともと、清太郎は手前の眼鏡にもかない、さきざき、お光と夫婦にして暖簾わけをしてやってもいいと考えて居りましたくらいでございますから、もし、清太郎が我が子なら、これに勝る喜びはございません」

なにもかも、好都合と正直に喜んでいる。

たしかに、それは十二、三で奉公に来て、井筒屋の商売を知り尽し、番頭の片腕となって働けるまでに成長している清太郎のほうが、無頼な暮しをして来た新之助より、井筒屋の後継ぎにはふさわしいに違いない。

けれども、果して、どちらが本当に井筒屋の悴なのか、今となっては判断のしようがなかった。

わかっているのは、二人の中の一人が、井筒屋徳右衛門の子なら、もう一人は、おそらく、おたねが徳右衛門と切れてからの相手との間に出来た子供でもあろうか。

「新之助は、清太郎の話を聞いたのか」

東吾の問いには、源三郎が答えた。

「只今、長助が新之助を長寿庵へ呼んで話をしている筈です」

「新之助には金をやって、改めて縁を切りとうございます。あれでは、到底、井筒屋の悴はつとまりますまい」

やがて、井筒屋の三人が帰った。

「人ってのは、勝手なもんだな」

憮然（ぶぜん）として東吾が呟いた。

「どっちが本当の悴か、わかりもしないで、都合のいいほうを取ろうとする。もしも、捨てたほうが真実、自分の悴だったら、どうするんだ」

源三郎が、この男らしい寛容さでいった。

「徳右衛門は、清太郎を我が子と信じたがっています。いや、すでにもう、信じているのでしょう。こちらが我が子と親が信じたのです。他人が口出しをする筋ではありますまい」

「そりゃあそうだ」

源三郎も帰った。

東吾は、るいの部屋で、ぼんやり考え込んでいる。

そこへ、長助がやって来た。

新之助は紺屋町へ行ったという。

「あいつ、変ってますよ。清太郎の話をしたら、たしかに自分もお袋に手をひかれて、そこへ行ったようなおぼえがあるとか申しまして、紺屋町へ行く道筋を教えてくれといいますんで、若い者をつけてやりました」

「紺屋町か……」

東吾が立ち上った。

「いい天気だ。るいも来ないか」

日本橋川を舟で上って鎌倉河岸へ、そこから紺屋町までは、歩いて僅かであった。

土手っぷちへ出ると、その下は藍染川であった。

そのむこうに紺屋町の染屋が、ずらりと染物を竿に干している。

新之助は、藍染川の土手にすわっていた。

近づいた東吾とるいをみると立ち上ってぺこりと頭を下げる。

「子供の時に、ここへ来たことを思い出したそうじゃないか」

東吾にいわれて、なつかしそうに川を眺める。

「そうなんで……、お袋は俺と、もう一人の手をひいて、この川っぷちに来たんでさあ。来た時は三人、帰る時は二人だった」

「清太郎のことは、おぼえているか」

「あんちゃんと呼んだ子がいたのは、たしかでさあ。ですが、年齢は同じぐらい、いや、俺のほうが上だったような気もします」

「年上が、年下をあんちゃんと呼んでいたのか」

「へえ、むこうも、俺のことをあんちゃんと呼んでいたんで……その程度のことしかおぼえちゃいません。なにしろまともに育ったんじゃねえ、犬の仔、猫の仔みてえな暮しでさあ」

おたがいに、あんちゃんと呼び合って一緒に暮していた男の子同士、そのどちらが井筒屋の悴だったのか。

「お袋は、たしかに、俺を井筒屋の悴といいましたが、清太郎にも、そういったのなら、あいつが井筒屋の悴でしょう」

屈託のない笑顔に、えくぼが浮いた。

「あいつのほうが、井筒屋の悴らしくみえますよ。あっしには、あの店はむきませんや」

「品川へ帰る気か」

「そのほうが、性に合ってまさあ」

川の流れへ視線を落した。

「この川、藍染川っていうんだそうで……」

それまで、ひっそりと新之助をみつめていたるいが答えた。

「紺屋が藍染をこの川で洗うからだっていいますよ。でも、逢い初めと書いて、逢初川だという人もあるんです」

「逢い初めですか」

その文字を指で土に書いた。

「俺の場合は、逢い初めが、お別れだ」

文字を指で消して立ち上った。急に二人へ背をむけてずんずん歩いて行く。途中から走り出した。

その姿が、町角を折れてみえなくなった。るいが小さな吐息をついて、川を眺めた。

「どうしようもないんでしょうか」

新之助が、井筒屋の悴の座から脱落したことであった。

「一度、染っちまった色を洗い流すのは、難儀なことなんだろうな」

風に、はためいている染物の布は、鮮やかな紺青であった。

「あいつには、あいつの生き方があるんだろうよ」

藍染川に沿って歩きながら、ふと、東吾は気がついた。

おたねの産んだ子は、もしかすると双児ではなかったのか。

思いつきを口には出さず、東吾はるいの手をひいて、春風の中を歩いた。

美人の女中

一

十日ばかり狸穴の方月館の代稽古暮しが続いて、東吾が大川端の「かわせみ」へ戻って来たのは、夕暮時、といっても、すっかり日が長くなったこの頃のことで、あたりはまだ明るかった。

ちょうど宿屋稼業は、客が混み合う時刻であった。東吾は気を遣って裏木戸から庭へ抜け、枝折戸を通って、るいの居間の外へ来た。

縁側のところで、若い女が出入りの植木屋をつかまえて、しきりに話をしている。

東吾の知らない顔であった。

着ているものは木綿物だが、この節、はやりの唐桟留の前掛をしている。前掛の紐が紫の絞り染めであった。それだけでも贅沢なのに、足袋をはいている。髪飾りも安物の銀流しなどではなく、けっこう金のかかったこしらえのものを挿していた。化粧も念入りである。

植木屋が、先に東吾に気づいた。

「こりゃあ、若先生……」

たて続けにお辞儀をして

「垣根を結い直しに参りましたんで……」

いわなくてもいい説明をしてから、あたふたと裏へ走って行った。

若い女は、少しばかり眉を寄せるようにして、東吾を見ている。東吾のほうが、照れくさい感じであった。

「るいはいるか、いたら、呼んでくれないか」

「どなたさんですか」

というのが、女の返事であった。無遠慮な眼で、東吾の頭のてっぺんから足の先まで見下した。

「俺は神林東吾だ」

いいかけた時、お吉がとんで来た。植木屋が知らせたものらしい。

「若先生、申しわけございません」

そこにいた若い女を叱った。

「まあ、おきたさん、どこへ行ったのかと思ったら……あんなに呼んでたのに、聞えなかったの。すぐ、お帳場のほうへ行っておくれな、手が足りなくて、てんてこ舞してるんだから……」

おきたと呼ばれた女は、お吉を無視して東吾へなんともいえない笑顔を作ってお辞儀をした。

「おきたさん」

もう一度、お吉がどなったのをきっかけのように、ゆっくり廊下を走った。

「どこかから、手伝いに来たのか」

居間へ上りながら、東吾が訊いた。

かわせみの女中で、お梅というのが嫁入り先が決って先月末で暇をとったのは知っていた。手不足で、どこからか臨時に来た女かと思った。

「新しく来た女中なんですけども……」

座布団を出しながら、お吉が改めて詫びた。

「若先生の前で、大きな声を出してすみません」

衣ずれの音がして、るいが居間へ入って来た。

「お吉、楓の間のお客様、お酒を二本ばかりつけてくれとおっしゃってだから……」

お吉が心得て、走って行った。

「堪忍して下さい。おいでになったのに、誰も気がつかなかったなんて……」

いそいそと東吾の傍へ寄って、足袋を脱がせにかかる。

「嘉助がお風呂の仕度をしていますから……」

「俺なら、いそがなくっていい。帳場のほうがいそがしそうじゃないか」

「たて続けに、お客様がお着きになったので……でも、もう大丈夫なんです」

「お梅がやめて、人手不足なんだろう」

「お千代が故郷（くに）へ帰りましたの」

お梅と同じくらい、この家に奉公していて、女中頭のお吉の片腕となっていた女中である。

「おっ母さんが馬に蹴られて、寝ついているんですって」

下総（しもうさ）であった。

「お千代まで、いなくなっちまったのか」

「相模屋から一人、間に合せによこしてもらったんですけど……」

それが、さっきのおきたのようである。

お茶を一杯飲んだところへ、嘉助が知らせに来た。

「どうも遅くなりまして……」

客用ではない内風呂の湯加減が出来たという。

「俺に、かまわなくていいぞ。勝手にするから……」

るいにも嘉助にもいって、のんびりと湯につかっていると、風呂場の板戸のむこうに誰か人が入って来た気配であった。

るいが背中を流しに来たのかと、湯舟を出かかると

「ごめん下さいまし。お流しに参りました」

おきたが着物の裾を高々とはしょって入って来たから、東吾は少からず驚いた。

「いいんだ、俺は自分で流す」

断ったというのに、おきたは上り湯を小桶に汲んで手拭をしぼっている。

「店のほうがいそがしいんだ。そっちを手伝うがいい」

　東吾の声をききつけて、嘉助が板戸をあけた。

「なにをしてやがる、とっとと出て行け」

「お背中をお流しするんですよ」

　平然とした声は、二十二、三の女とも思えないほど落着いていた。

「若先生がいいとおっしゃってるじゃねえか。出て行けといったら、出て行け」

　おきたが東吾の顔を眺めて、艶然と笑った。

　嘉助がおきたの手をひっぱるようにして風呂場の外へ追い出す。

「どうも、とんでもねえ、あばずれで……」

　結局、東吾の背中は嘉助が流した。るいは東吾の夕餉の仕度をしているらしい。

「帳場のほうはいいのか」

　東吾は気にしたが
「長助親分が来ていますので……」

　御用の筋で来たのではなく、かわせみの人手不足を心配して、夕方からは手伝いに来ているといった。

　湯上りで、るいの部屋へ戻ってくると、その長助が挨拶に来た。柄にもなく、紺の前掛などをしているのが、けっこう似合っている。

　もっとも、彼の本職は、深川の長寿庵の亭主であった。

「いいのか、自分の店を放ったらかしにして」

東吾にいわれて、長助が笑った。

「近頃は、嬶と倅が、いいようにやってますんで……」

下手に、うろうろしていると邪魔っけだといわれるという。

るいが酒を運んできて、長助は入れかわりに帳場へ戻って行った。

「放っといていいぞ。店が忙しいんだから」

東吾は、気をきかせたつもりでいったが

「いいえ、もう大丈夫なんです」

長火鉢の銅壺に徳利を入れながら、るいが少しばかり色っぽい眼をした。

「お吉に叱られたんですよ。東吾様を放ったらかしにしておくから、お風呂場で大騒動だったって……」

「ああ、あれか」

東吾が眩しい顔になり

「あれは、嘉助が気がついたから……」

「気がつかなければよろしゅうございました。たまには目先の変った女に、お背中を流させるのも、よろしかったのに……」

姉さん女房は、もう、こんがりと狐色に嫉いている。

「馬鹿だな、るいは」

苦笑して、東吾は盃を出す。

「まだ、お燗がついてません」

「ぬるくったっていいよ」

他愛のないやりとりをしている中に夜になった。

狸穴から戻って来た夜はいつもそうだが、東吾は早く酔い、宵の中にひとねむりするのが癖になっていた。

で、うとうととして、ふと目がさめると、廊下でお吉の声がしている。

「もう、いけすかないったらありゃしないんですよ。若い男のお客様の部屋にばっかり入りびたって、いくら呼んだって出て来やしないんですから……」

東吾は、いつの間にかるいがかけたらしい薄い夏布団をはねのけて起き上った。

「おい、茶をくれないか」

声をかけると、お吉をたしなめていたるいが、すぐに入って来た。

「ごらん。大きな声を出すから、東吾様が目をさましておしまいじゃないか」

るいに叱られて、お吉も部屋に入って来た。

「別に、お吉のせいじゃない。酔いがいい具合にさめて、目が開いたところだったんだ」

「申しわけありません。若先生……」

お吉は神妙に手を突いて詫びたが、すぐ東吾にいいつけはじめた。

「なにも、あたしだって小姑じゃあるまいし、新参の女中をいびるつもりはないんですけど、あの人があんまりなもんですから……」

「おきたって女中か」

風呂場の件を思い出して、東吾は寝起きの顔をつるりと撫でた。

「あいつ、どこから来たんだ」

「麹町の相模屋っていう口入れ屋に頼んだら、あんなのを、よこしたんです」

「気に入らなけりゃ、請状を出す前に返せばよかったんだ」

口入れ屋から来る奉公人は、大方、お目見得がすんで二、三日働いてみて、その上で主人が気に入ると相手に請状を持って来させる。

請状というのは、奉公する当人の身許や宗旨、給金のとりきめなどを明記したもので、請人、つまり身許保証人から雇主へ差し出す、奉公の契約書であった。

「あたしは、よしたほうがいいって、お嬢さんに申し上げたんですよ」

怨めしそうにお吉がいい、るいが東吾に湯呑を渡しながら弁解した。

「でも、あの人を断ったら、当分、かわりはないっていうし……」

「そんなに奉公人が少いのか」

大体、かわせみが女中に不自由するというのが、東吾にはわからなかった。

元八丁堀の同心の娘がやっている宿屋ということもあるし、二、三年も奉公すれば、行儀作法はもとより、針仕事まで一人前にして年頃になれば縁談の世話までしてもらえるというので、出入りの商人たちが始終、若い女を奉公させてくれと頼みに来る。

口入れ屋から女中を世話してもらうなどというのは、今までのかわせみには、なかったことであった。

「東吾様は御存じないでしょうけれど、近頃は、どちらでも女中が足りなくて困っているのですよ。この三月に佐久間町で大火がありましたでしょう」

春一番の大風が吹いた夜に火が出て、佐久間町界隈が灰燼に帰した。たまたま、大きな商家が多かったこともあって、田舎出の女中が随分、焼け死んで、そのことが瓦版に載ったりした。

「驚いたな。それで江戸へ奉公に出る人間が減ったというのか」

「相模屋の話では、そうなんですって」

江戸へ奉公に出る者の大半は上総、下総、房州で占められていた。無論、その他に常陸、相模からの者もけっこう多いが、どちらかといえば、西からの人間は箱根の関所で女の通行を許さないために、どうしても東のほうからが、江戸に入りよい。それも、一つの村から何人かが江戸へ奉公に行くと、その縁をたどって、我も我もと江戸へ出たがるといった傾向が強いので、今度のように、火事で焼死したという話が伝わると、急に怖れて、娘を手放さなくなるのだという。

「驚くじゃありませんか、女中のなりてが減ったとたんに、お給金のほうがはね上って、この節は二両二分でも、いい顔をしないんですよ」

お吉が口をとがらせた。

「むかしっから、女中のお給金は年に一両二分ってのが通り相場なんですから……それも、お針が出来るとか、力仕事も苦にしないっていうならともかく、あのおきたさんなんぞは、針を持つのは肩が凝るからごめんだ、下婢じゃないんだから水仕事は困りますと、まあ、奉公人のほうから雇主に苦情ばっかりいうんですから……」

畢竟、そうなったのも、需要と供給が逆転したからで、口入れ屋から寄こす女中のたちはどんどん悪くなるが、それでも使わなければ間に合わない昨今の女中事情だときいて、東吾はあっけにとられた。

「そんなことなら、今度、狸穴へ行ったら、方月館に出入りの百姓に訊いてみよう。案外、奉公に行ってもいいという娘があるかも知れないぞ」

「いけません、東吾様に、そんなことはおさせ出来ません。その中、お千代も帰ってくるでしょうし、長助親分も心当りを探してくれていますから……」

その夜は、るいの部屋に泊って、翌日の午すぎに、東吾はなにくわぬ顔で八丁堀の屋敷へ帰った。

庭には牡丹の花が咲きはじめていた。

義姉の香苗が池の鯉に餌をやっている。

「只今、戻りました」

声をかけて東吾は庭へ下りて行った。

十日ばかり留守をしている中に、若葉が一段と濃くなった感じであった。

「お帰りなさい、方斎先生はお変りありませんか」

香苗の目が笑っているのは、どうみても狸穴からまっしぐらに帰って来たという様子ではないからで、それでも、この義姉は決してそのことを口にしない。

「かわせみへ寄って来たのですが……」

この義姉にはかくしても無駄なので、東吾は照れくさそうに話し出した。

「近頃、女中が不足しているそうですね」

「佐久間町の火事以来なのでしょう」

「御存じでしたか」

「出入りの者から聞きましたの」

武家屋敷に奉公するのは限られているから、今のところ、たいして影響がないが

「町方では、お給金ばかり上って、その上、いろいろ苦情をいう者が増えたとかで、困っているそうですよ」

縁側へ腰をかけて、東吾の話し相手になっている香苗は、子供がないせいもあって娘時代とあまり変らない。

「苦情って、どんなことを申すのですか」

「小さい子供の多い家はいやだとか、藪入り(やぶい)を十日にしてくれとか……」

「そんなことまで、申すのですか」

「むかしは使うほうで奉公人の品定めをしましたけれど、これからは使われるほうが、主人の品定めをするのですって……」

「いずこも同じですな」

「かわせみでも、女中にお困りなのですか」

「新参の女中が手に負えないといって、お吉が癇癪を起していましたよ」

うっかり、風呂場の話をしそうになって、東吾は慌てて自分の部屋へひき上げた。

いくら、義姉が察していたとしても、自分の口から昨夜、かわせみへ泊ったことを白状するのはまずい。

二

東吾が帰ったあと、かわせみでは、いつものように夕方を迎えた。

新しく到着した客が三組、いずれも暮六ツ（午後六時）までにはかわせみの暖簾をくぐって、各々の部屋へ案内された。

他には、数日前から滞在の客が五組、その中の三組は商用で、他の二組は親類の法事などで江戸へ出て来た者であった。

風呂に入る者、飯を食う者と慌しい夕方の一刻の間に、一度、戻って来た客が再び、出かけた。

佐原から商用で来ている醬油問屋の若主人で由之助というのが、明日は江戸を発って佐原へ帰る。つまり今夜が江戸で最後の晩だからと、知人に誘われて吉原見物をするといい

「手前は、とても左様な所に泊る心算はございません。話の種に廓見物をして参るだけでござ

いますから、遅くも四ツ（午後十時）には戻って参りますので、何分よろしくお願い申します」

律義に、嘉助に挨拶をして行った。

楓の間に泊っている客で、一緒に佐原から供をして来た小僧の新吉というのはまだ十五で、先に飯を食って寝ていいと、かわせみへおいて行かれた。

宵から出かけたのは、その由之助だけで、あとの客は風呂と飯がすむと碁盤を借りて行く者、帳場へ出て来て嘉助と世間話をする者などまちまちではあったが、それも四ツが近くなると、ひっそりと静かになった。

由之助が戻って来たのは四ツすぎで、大戸はすでに閉っていたが、嘉助がくぐりを開けて迎え入れた。

「やはり、江戸でございますな。大門の賑いといい、仲の町といい、夜とも思えない明るさで仰天いたしました」

まだ興奮のさめない顔でいうので

「どうせのことなら、土産話にどこぞへ登楼ってみればようございましたのに」

と嘉助がひやかしたが

「とんでもございません。手前共のような田舎者が、あのような所で遊んだら、ろくなことにはなりますまい」

それでも、多少の未練はあるらしくて、なにやかやと、嘉助に吉原のしきたりなどを訊ねたりして、やがて、楓の間へ上って行った。

そこへ、お吉が茶碗に軽く半分ほどの酒を嘉助に持って来た。戸じまり、火の元を見廻ってから、それをゆっくり飲むのが、近頃の嘉助のたのしみになっている。

由之助が蒼白になって、帳場へとんで来た時、嘉助はまだ茶碗の酒に口をつけていなかった。

金が紛失したという。

「お得意様から集金した八十両が、部屋からなくなって居ります」

驚いた嘉助は、しかし、八丁堀育ちだけに馴れていた。

お吉と、まだ起きていた板前の徳次郎を各々、表口と裏口に配して、内から外へ出る者がないようにし、自分は由之助と共に、楓の間へ行った。

楓の間には、布団が二組、敷いてあって、その一つに寝ぼけまなこの小僧が、腰をぬかしたようにすわり込んでいる。

由之助の話だと、夕方、出かける前に、八十両の金は胴巻に入れたまま、道中着がたたんでしまってある乱れ箱の下へ押し込んでおいたという。

「今しがた、帰って参りまして、念のため、調べてみますと、胴巻だけ残って居りまして……」

その新吉は、漸く事態がのみこめて、泣きべそをかいている。

由之助が出かけたあと飯をくって、明日の旅仕度をしてから、寝てしまって、叩きおこされるまで気がつかなかったといった。

「お前さん、御主人が出かけなすってから、部屋を開けたことは……」

嘉助に訊かれて

「お手水には二度ほど参りましたが……」

風呂は嫌いなので、入らなかったし、長い時間、部屋をあけたこともないと釈明した。

「ひょっとして、どこか、別のところへしまったんじゃないのかね」

由之助と一緒になって、嘉助が部屋中を探してみたが、八十両は見当らない。

これはいかんと悟った嘉助は、若い者を八丁堀に走らせて畝源三郎に知らせる一方、深川の長助にも使いをやった。

すでに、深夜ではあったが、畝源三郎は東吾と共に、かわせみにかけつけて来た。一足遅れて、長助も若い者を伴って飛んでくる。

他の泊り客には、まだ知らせてなかった。

ただ、嘉助がそっと一つずつ部屋を廻ってみて、客が全員、各々の部屋で寝ていることを確認して来た。

「どうも、困ったものでございます。このようなことのないように、所持金は、なるべく帳場のほうにおあずけ下さいとお願い申しているのですが……」

嘉助が憮然としていうように、外から賊が侵入した形跡がない限り、犯人は同じ泊り客か、かわせみの奉公人ということになる。

かわせみの客部屋は、いわゆる襖一重でつながっているというような造りは一つもなく、一部屋ずつが独立した形になっているが、廊下からの入口は襖か障子で、これは別に鍵がかからない。従って、他人の部屋へ入ろうと思えば、誰でも容易に入ることが出来た。

それで、通常、大事なものは肌身はなさず所持してもらうか、預り証とひきかえに帳場へあずけてくれるように、宿帳を持って行く時に、一々、嘉助が話している。

勿論、由之助もそのことは知っていて、江戸へ出て来た時に持っていた宿賃、帰りの船賃に相当する路用の金は、そっくり帳場へあずけていた。

それなのに、たまたま、集金して来た八十両をそのまま、部屋へおいて行ってしまったのは、どうやら吉原見物に出かけるので、気がそぞろだったのと、明日は江戸を発つので、たった一晩のことだからと、うっかりしたらしい。

「それに、こちらのお宿へお泊りの方は、皆さん、御常連で物騒なことはないときいて居りましたので……」

由之助は死人のような顔になって弁解している。

「由之助というのは、はじめてここへ泊ったのか」

るいの部屋で、東吾が訊ねた。由之助を長助にまかせて、畝源三郎も嘉助もお吉も、顔を揃えている。

「あちらの親父さんが、年に一度、商売で江戸に出て来る度に、お宿を申していました」

返事をしたのは嘉助で

「最初に手前共を御紹介下さいましたのは、佐渡の樽(たる)問屋の宗八さんでございまして、もう五年のお得意様でございます」

今年、悴の由之助がやって来たのは、この春、父親が病死して跡をとったからで
「江戸の取引先へ挨拶のためで、ついでに少々の掛け取りをして帰るといって居りました」

いきなり八十両の金が入ったのは、これまでの取引先が、歿った先代の香奠の意味もあって、まとめて、これまでの売り掛け金を払ってくれたものであった。

「由之助の申すことが偽りでないかは、夜があけてから、その支払先を調べてみますが」

まず当人が、きちんと相手方の名前を述べているところから察しても、嘘をついているとは思えない。

従って、由之助のいう通りなら、八十両の金は、夕方、楓の間の乱れ箱の中におかれ、それから二刻ばかりの中に、何者かによって盗まれたことになる。

「厄介ですな。これは……」

小僧の新吉は、夜具へ入ったのは五ツ（午後八時）すぎといっているが、彼が眠ってから忍び込んで盗んで行ったのか、それ以前に、新吉が手水場へ行った留守にやられたのかもわかっていない。

「とにかく、宿帳をみよう」

その夜の、かわせみの泊り客は八室、人数にして十三名であった。

今日、着いたのが、上方から来た京染めの近江屋の主人と手代、中津川から来た材木商の木曾屋の番頭、静岡から来た茶問屋の主人と手代の五人であった。

「近江屋さんと木曾屋さんは、うちの御常連ですし、茶問屋の吉田屋さんも顔なじみですから……」

到底、他人のものに手を出すとは思えないと、るいがいった。

「そりゃわからんぞ。常連の客でも、たまたま、店が左前になっていて金が欲しかったということもあるからな」

一応、東吾がいったが、着いた時刻が夕方だし、どこも女中がつききりで世話をやいている。ちょいと他人の部屋へ入って盗みを働く暇はなさそうに思えた。

「滞在組のほうに、あやしい奴はいないのか」

五組の中、常連は二組であった。八十両を盗まれた由之助と、新川の酒問屋、鹿島屋へ商用で出向いて来た大坂の吉田孫六とその女房のおくみ、これは夫婦共、六十歳を越えている。

残りの四人が、かわせみには初めての客であった。

一人は越後から来た越後縮みを扱う呉服商で藤兵衛といい、これが桐の間に入っている。

その隣の菊の間が伊勢から来た組紐売りで伊勢屋五平、そして萩の間が相模から来た夫婦者で直次郎におなみ。

「おかみさんがお腹が大きいんです。御亭主は大工で、両親が年をとって寂しがるので、夫婦して水戸へ帰る途中なんですけど……」

妊娠中の女房が旅の疲れからか、どうも具合が悪い。

「用心して、二、三日、逗留しているんです」

もしも、この中に本職の旅籠荒しがまぎれ込んでいるとすれば、桐の間の藤兵衛か、菊の間の五平ではないかと、嘉助は考えているようであった。

偶然だが、由之助の泊っている楓の間を真ん中にして、その両隣が桐の間と菊の間なのである。ついでながら菊の間の隣が直次郎、おなみ夫婦の萩の間、残りは二階であった。

ただ、この三組はいずれも十両前後の金を、かわせみの帳場にあずけている。だからといって、犯人でないとはいえないが

「お腹の大きなおかみさんとその御亭主は論外ですが、五平さんにしても藤兵衛さんにしても、穏やかな、気のいい人で、とても盗っ人だなんて思えません」

とお吉は断言する。

「とにかく、朝になったら、お客に事情を話し、所持品を改めさせてもらうしかありませんな」

畝源三郎が決め、その夜は長助に嘉助、源三郎と東吾と、男ばかり四人が帳場の奥で不寝番をした。

「お嬢さん、ひょっとして、うちの者の仕業じゃないでしょうね」

男たちの所へ夜食を運んで行ったお吉が、るいの部屋へ来てささやいたのは、もう夜明け近くで、るいも寝るどころではなく、気の重い顔で長火鉢に炭を足していた。

「人を疑うのは、よくないことだと思いますけど……もしかして、おきたさんが……」

実をいうと、るいの心の中にも同じような懸念があった。

板場の若い衆にしろ、女中にしろ、以前から働いている者たちには、それ相応の信頼がある。だが、最近、口入れ屋から来たおきたに関しては、あの人に限ってといい切れないものがある。

「他の女中たちの話なんですけど、おきたさんは、よく由之助さんの部屋へ行って話し込んでいたっていうんです。そういわれてみれば、あたしも、あの人が楓の間から出てくるのをみたおぼえがありますし……大体、あの人は若い独り者の男のお客さんにはつきっきりでお給仕をしたり、お召しかえを手伝ったりするんですよ。そのくせ、御夫婦者やおとしよりには呼ばれたって知らん顔をしているんだから……」

「おきたさんが、楓の間から出て来たのをみたっていうのは、いつのことなの」

黙ってきいていると、お吉の話は際限もなく脱線して行くので、るいは急いで制しながら訊いた。

「晩の御膳を、萩の間へ運んで行った時ですよ。通りすがりに、あの人が楓の間から出てくるのがみえたんです」

「その時、楓の間には誰もいなかったの」

「いいえ、小僧の新吉さんの声がしてましたけど……」

「だったら、別に盗んだってことには、ならないじゃないの」

「ええ、でも、あの人なら、楓の間へ入って行っても、新吉さんはあんまり気にしないんじゃありませんか。入りびたりで世話をやいている人だから……」

たしかに、係の女中なら、乱れ箱の着物をたたんだり、ものを片づけても客はあまり用心はしない。

「それだけじゃあ、おきたさんを疑うわけには行きませんよ」

そこへ、板前の徳次郎がやって来た。

「今まで板場の連中や女中たちと話をしていたんですが、朝になって、畝の旦那がお客様の品改めをなさる前に、俺達の荷物も改めて頂くのが筋じゃねえかということになりまして……」

客にばかり嫌疑をかけて、奉公人が知らん顔では片手落ちだと徳次郎はいった。

「みんな、そうしてもらったほうがさっぱりすると申して居りますんで、お手数ですが、お嬢さんから、畝の旦那にお願いをして下さいませんか」

いわれてみれば、もっともな話であった。

「いやな思いをさせてすまないけれど、それじゃ、畝様に申し上げましょう」

早速、かわせみの奉公人は一人残らず帳場へ集められ、お吉が案内して畝源三郎が奉公人の部屋を一つずつ改めて所持品を調べた。

その結果、おきたの荷物の中から百両近い金が出てきた。

一人だけ、るいの部屋へ呼ばれたおきたは、畝源三郎の問いに、はきはき答えた。

「あたしが働いて貯めたお金です。別にやましいことなんぞなんにもありません」

「それにしても多すぎはしないか。お前が仮に十年女中奉公をしたところで、せいぜい二十両がいいところだと思うが……」

おきたが黙り込み、るいは傍ではらはらした。

「正直に、畝様に申し上げなさい。そうでないと、お疑いを受けることになるから……」

「あたしは、盗っ人なんかしていません」

おきたが気強く叫んだ。

「そりゃあ、こちらさんからみたら、すれっからしの女中かも知れませんけど、人様のお金に手をつけるような真似はしていません」

じっとみていた東吾が、穏やかに訊いた。

「お前、今まで奉公して来た店は、どこだ」

「いろいろなところへ行きましたよ。半季半季で出代りをしたほうがお給金が上るからって、次々とお店をかわったから、一々、おぼえてなんかいられません」

半季というのは半年であった。

奉公人が半年ずつ、勤めることで、三月と九月がその代り目になっていた。

一つには百姓の娘などが、農作の暇な冬の間だけ、町方に奉公に出て、春から夏の農繁期には親許に帰るのに都合がよかったのと、使うほうも、水仕事などのつらい冬の間だけ奉公人の手を借りて、陽気のいい時期は人件費の倹約をするために半季の奉公人が重宝されたので、無論、こうしたことは武家屋敷や老舗では嫌ったので、半季の奉公人はあまり程度のよくない家を転々とする、従って、使うほうも使われるほうもすれっからしという悪循環になった。

おきたは典型的な半季奉公の女中であった。やや、捨て鉢なおきたの返答に、東吾はまるで動じなかった。

「最初に奉公に出たのは、いくつの時だ」

「あたしに身の上話をさせようってんですか」

「いいから、いってみろ。十四か、十五か」

「十四でしたよ。親が早く死んじまって、誰も食わしてくれる人がありませんでしたから……」

「十四で、どこへ奉公に行った。最初の奉公先だ。それくらいはおぼえているだろう」

おきたが唇を嚙みしめるようにした。

「浅草の田丸屋です」

「田丸屋というと……」

「質屋ですよ」

「そこに、何年奉公した。まさか、最初から半季奉公じゃあるまい」

るいもお吉も、あっけにとられて眺めていた。何故、東吾がそんな質問をはじめたのか、わからない。

おきたがうつむいて、小さい声で答えた。

「三年と少しです」

「十七、八まで、田丸屋に奉公したんだな」

次はどこだ、といった。

「田丸屋のあとは、ずっと半季半季の奉公だったんじゃないのか」

おきたは返事をしなかった。

が、黙っているのは、東吾の言葉を肯定しているようである。

「わかった。もう、下っていいぞ」

下をむいていたおきたが、急に顔を上げた。

「わかったって、なにがわかったんです」

東吾が明るい微笑を浮べた。

「お前が、何故、百両近い金を貯めていたかだよ」

まわりは啞然としたが、おきたは視線を逸らせ、そのまま、部屋を出て行った。

「田丸屋へ長助をやってくれないか。今から行けば朝になるだろう。あの辺の縄張りは誰だ」

「田原町に、源太というのがいます」

「若いのか」

「いや、六十をすぎていますが……」

「そいつはいい。田丸屋の隠居のことを訊いてもらってくれ。おそらく、女中に手をつけて……ひょっとすると子供でも産ませているかも知れないな」

「承知しました」

源三郎が立って行き、るいが東吾に訊いた。

「それが、おきたさんだっていうんですか」

「俺の勘が当っていりゃあな」

東吾が苦笑した。

雨戸のすみから、夜はしらじらと明けかけている。

「るい、ひとねむりしようじゃないか、果報は寝て待てというからな」

東吾がるいをうながして、お吉は慌てて部屋から逃げ出して行った。

三

ひとねむりした東吾が、源三郎と朝飯をすませたところへ、長助が戻って来た。

「若先生のおっしゃった通りでございました。田丸屋の隠居、といっても昨年、歿(なくな)ったそうですが、おきたという若い女中に手をつけて、子供を産ませて居ります」

おきたが十六の年で、当人も妊娠に気がつかず、まわりもよもやと思っている中に、おきたの腹が大きくなって一騒動があったという。

「結局、赤ん坊は里子に出して、おきたには五十両の金をやって縁を切ったそうでございます。まあ、その他に隠居がおきたをかわいがって、かなりのこづかいを与えていたといいますから三十両やそこいらは貯めていただろうとのことで……」

田丸屋を出る時に八十両の金があったとすれば、それからの半季奉公で稼いで、百両近い金を持っていても不思議ではなかった。

「それにしても、東吾さん、どうして気がついたんです」

まわりに人がいない時に、源三郎が訊き、東吾が小声で返事をした。

「かわせみへ来て、最初におきたをみた時になんとも奇妙な色気があるんだ。そのあと、俺の背中を流すといって風呂場へ入って来たんだが、流す仕度をする手順が馴れていてね。普通の女中なら、いくら半季の渡り奉公でも、男の背中を流すことはないだろう。こいつは妾奉公のようなことをした経験があるんじゃないかと気がついたんだ」

「おきたに、背中を流させたんですか」

「嘉助がとんで来て、追い出したんだよ」

「そりゃあ惜しいことをしましたね」

おきたの金は、これで潔白となったが、肝腎の由之助の八十両の解決はついていない。

「やっぱり、客を調べる他はありませんな」

すでに泊り客には、るいと嘉助が事情を説明している。

大方の客は常連なので

「そりゃあ、さぞかし難儀なことだろう。かまわないから、どうぞ、お役人に調べてもらって下さい。そのほうが、こっちも気持がいい」

といってくれた。

で、今日、発つ予定の客から所持品一切を別室で改めさせてもらい、その間に、泊った部屋も調べるという念の入った捜査がはじまった。

畝源三郎は手ぎわよく、長助たちもしゃかりきになって調べているのだが、八十両は一向に出て来ない。

その時、東吾は、るいと一緒に帳場の近くにいた。

改めが終って発って行く客に、るいと嘉助が何度も頭を下げ、丁重に送り出している。

おきたは上りかまちのところに立っていた。

ちょうど、萩の間に泊っていた夫婦者が二階での源三郎の取調べをすませて下りてくるところであった。この夫婦も、今日、水戸へむけて出立する。

腹の大きな女房は両手で下腹のあたりを押えるようにして、亭主のあとから階段を下りて来た。

おきたがすっと東吾の傍へ来た。

「あのおかみさんのお腹を調べて下さい」

東吾がおきたをみた。

「確証があるのか」

「あたし、さっき、あのおかみさんに訊いたんです。何カ月かって……八月目だっていいました。八月目にしたら、お腹の大きさがおかしいんです。第一、両手でお腹を押えるってことはありません。階段を下りる時は片手で、手すりにつかまります。そうしないと、怖くて下りられないものでした」

東吾が嘉助を呼んだ。何事かささやいておいて、今度は腹の大きな女房へ声をかけた。

「ちょいと、おかみさんの着ているものを調べたいんだ。女にやらせるから、心配はいらない」

とたんに亭主の形相が変った。矢庭に女房の手をひいて、入口へ走り出す。その前に嘉助が立ちふさがった。

八十両は、女房の腹に巻きつけた晒木綿の間から出て来た。

かわせみからひったてられた直次郎とおなみは、近くの番屋で畝源三郎の取調べを受けて白状した。旅籠荒しの常習で、今まで同じ手口で品川や板橋、新宿などの旅籠屋を荒していたらしい。

「ああいう連中は、歩く恰好をみただけで、懐中にどのくらいの金を持っているか見当がつくそうで、由之助が帰って来た時、たまたま、風呂から戻ってきた直次郎が廊下で出合い、その折に大金を懐中しているのに気がついて、ねらいを決めたようです」

数日後のかわせみのるいの居間で、源三郎が話した。

「夫婦で様子を窺っていると、やがて、由之助が再び、出かけて行く。その恰好をみると、どうやら金は持っていないとわかる。それで、小僧が寝入るのを待って、部屋に忍び込み、まんまと八十両を盗み出して、女房の腹に巻いて、かくしたんだそうです」

おなみのほうは、いつもは腹に綿を巻いて大きくし、金を盗むと、綿を抜いて、そのかわりに金を巻きつけるというやり方で、取調べをごま化して来た。

「今度も、それでうまく行く筈のところを、おきたに見やぶられてしまったわけです」

それにしても、腹の大きくなった女の階段の下り方でおかしいと気がついたのは、自分にその経験があったからで、かわせみでは男は勿論、お吉もるいも子供を産んでいない。

「おきたさんのおかげで犯人がつかまったというのに、あたしたちは最初、おきたさんに疑いをかけていたんですから、それを思うと、本当に、おきたさんに申しわけなくて……」

るいはおきたに詫びをいって、彼女の貯めた金を、ちょうど百両になるようにしてやった。

おきたのほうは、何事もなかったように、相変らず、独り者の男の客にばかり親切にし、その部屋に入りびたって、女客や夫婦者にはみむきもしないという勝手な働きぶりで、その月の末までかわせみにいた。

月の終りに、実家へ帰っていたお千代が、母親が元気になったので、と戻って来て、かわせみとしては、おきたを必要としなくなったのだが

「かまわないから、約束の半季だけ、いてくれても……」

というるいの言葉に

「いえ、口入れ屋へ戻れば、いくらだって働く先がありますから、なにも、余分なところで働かせてもらうことはありませんよ」

さっさと荷物をまとめて、暇をとった。

「どうするんでしょう。あんなにお金ばっかり貯めて……なにか、めあてがあるんでしょうかねえ」

お吉が首をひねったが、るいは黙って庭を眺めていた。

十六かそこらで奉公先の隠居に手ごめにされ、子供を産んだあげくに、金で縁を切らされた

女の心中は、同じ思いをした女にしか解らないものに違いない。

それにしても、偽の妊婦をあっけないほど簡単に見破ったおきたを、るいは羨しいと感じていた。

「おい、なにを考えてるんだ」

庭のむこうに、なつかしい声が聞えて、るいは我に返った。

紺絣(こんがすり)もさわやかな東吾が釣竿を下げて立っている。

大川は魚釣りにいい季節になっていた。

白藤検校の娘

一

ばらばらと石つぶてがとんで来て、東吾は避けたが、その一つが畝源三郎の肩をかすって、背後にいた長助の頭に当った。

本所一ツ目橋の袂である。

盲目の老人と若い女を取り囲むようにして、六、七人が小石や古草鞋など、手当り次第に投げている。それが、たまたま、逸れてこっちへ飛んで来たものらしい。

「なにをしやあがる」

長助が大声をあげると、橋の上からその光景を見物していた若い衆が慌てて走って来た。

「こりゃあ親分……」

長助のところの下っ引で吉五郎という男であった。

「なにを、ぼやぼやしてやがる。昼日中から、あんな乱暴をさせて、放っておく奴があるか」

吉五郎が鉄砲玉のようにとんで行き、それで六、七人がこっちをみた。黄八丈に巻羽織の畝源三郎に気がついて、わあっと蜘蛛の子を散らしたように逃げて行く。

「検校だな」

老人の手にしている撞木杖をみて、東吾が呟いた。

盲人にして琵琶琴絃、或いは鍼療治、按摩などの業にたずさわる者に検校、勾当、座頭の階級があった。

座頭は唯の棒を杖とし、勾当は片撞木という曲尺形、そして、検校が撞木杖と決っている。

「徳の都さんで……この辺りでは白藤検校と呼んでいます」

本所石原町の家に見事な白藤の木があるので、そう呼ばれると長助がいっているところへ、吉五郎が駆け戻って来た。

「あいすいません、お怪我はございませんか」

横鬢に血を滲ませた長助が苦い顔をした。

「逃げたのは、どこの連中だ」

「木場の若え奴らですが……」

「仕様がねえなあ」

橋の袂では、若い女に手をとられて白藤検校が漸く立ち上ったが、みえない眼を東吾達へむけて叫んだ。

「もし、そちらのお方、どうか、今の狼藉者をひっ捕えてお上へ突き出して下さいまし。手前は、かような乱暴を働かれるおぼえはございません」

若い女が老人を制した。

「そんなことをいっても無理よ、お父様、どなたも、私達の味方をして下さる方なんか、ありやしません」

聞きとがめて、東吾は娘に近づいた。

「いったい、どうしたんだ。今の連中は木場の若い衆らしいが……」

老人が大きく片手をふり廻した。

「身勝手でございます。借りる時は仏、返す時は夜叉（やしゃ）……どいつもこいつも身勝手なものでございます」

「やめて下さい、なにをいったって、世間の人から笑われるだけなんですよ」

「なにがおかしい、わたしら盲人はお上のお許しを頂いて金貸しをしているのだ。なにが恥かしい」

みかねたように、長助が吉五郎にいいつけた。

「お二人さんを、屋敷まで送って行け、途中、また、なにがあるとも知れねえからな」

吉五郎は情なさそうな顔をしたが、いわれた通りに白藤検校の傍へ行き、なだめながら本所石原町のほうへ歩き去った。

深川の長助の家へ着いて、畝源三郎が着衣をめくってみると肩に小石の当った痕が少しばかり内出血してあざになっている。

長助の女房が薬を持って来て、源三郎と長助はそれぞれの傷の手当をした。

「どうも、うっかり町も歩けません」

そこへ吉五郎と一緒に三人ばかり若い男が顔を出した。

木場の若い連中で、さっき一ツ目橋の袂でさわいだ中の主だった者で

「畝の旦那や親分に怪我をさせちまって申しわけねえとあやまりに来ています」

と吉五郎がいう。

「怪我というほどのものじゃねえ、心配することはないからこっちへ入って来い」

源三郎が声をかけて、三人は小さくなって長寿庵の片すみにうずくまった。

「なんで盲人や女に、あんなことをしたんだ」

穏やかに訊いたのだが、三人共、定廻りの旦那に石をぶつけてしまったというので、恐れ入って、ろくに口もきけない。

それをみて、東吾が伝法にいった。

「お前ら、白藤検校に金を借りてるのか」

傍から、吉五郎が三人の代りに答えた。

「とんでもありませんや、若先生、こいつら風情に金を貸す白藤検校じゃござんせん」

座頭の金貸しならいざ知らず、検校ともなると貧乏人は相手にしないという。

「すると、お前らが厄介になっている木場の旦那か」

「いえ……」

やっとのことで、三人の中の一人が前へ出た。

「人足頭の弥平兄いなんで……」

「人足頭に、白藤検校が金を貸したのか」

「たのみに行っても相手にされねえだろうと思っていたんですが、案に相違で、すんなり金を出してくれたそうで……」

「いくら借りたんだ」

「三カ月の約束で十両です」

「なんで、そんな大金が入用だった」

「へえ、それが……」

三人が顔を見合せ、吉五郎が心得てその続きを話した。

木場の人足頭の弥平というのは、三十五になる気っぷのいい男だが、酒好きで酒が入ると気が大きくなる。

「普段は慎んでいる手慰みに、うっかり手を出しまして、店からあずかっていた人足の手間賃の十両をつい、使い込んじまったんだそうです」

酔いがさめて青くなったが、消えてしまった十両はどうしようもない。

「当人が思いあぐねて、白藤検校のところへ行ったら、右から左に融通してくれまして」

それはよかったのだが、期限の三カ月が過ぎて、金が返せない。

「弥平の女房の話ですと、三カ月で十両に利子がついて十二両、弥平があっちこっちから集めて来たのが合せて五両足らず、あとはどうするといっている中に、又、酒の勢いで博打に手を出す。あとはもうぬかるみでさあ」

それでなくとも、座頭の金を借りたら利子で首が廻らなくなるといわれるほどで、十両は忽ち二倍、三倍になる。

「白藤検校のほうからは取立人がやって来て、きびしく催促をしますんで、弥平は勿論、女房子も半病人になっちまって、とうとう仲に入った者が、弥平の娘を吉原へ奉公に出すって話になりかけまして……」

東吾が源三郎と顔を見合せた。

「いくつなんだ、弥平の娘は……」

「十三なんで……それで、木場の若い衆が、いくらなんでもむごいじゃねえかと……」

「白藤検校に石を投げたというのか」

「まあ、そういうことで……」

首をすくめている若い衆たちに、東吾は日頃の彼らしくない、きびしい調子でいった。

「そりゃあ、お前達、ちっと料簡違えじゃねえのか」

たしかに、弥平の借りた金は高利に過ぎる。

「しかし、そいつを承知で弥平は白藤検校に頭を下げて金を借りたんだろう。約束の期限までに返せねえ時はどうなるかも知らねえわけじゃあるまい。年端も行かねえ子供ならともかくも、大の男が納得ずくで借りた金なんだ。ずるずるとひきのばせば、利子も増える。相手が催促にくるのも当り前だ。借金のかたに娘を売ることになったとしても、そいつは弥平の身から出た錆(さび)だろうが、白藤検校を怨むのは筋ちがいだとは思わねえか」

そこまでいって、東吾は語気をゆるめた。

「と、まあそうはいっても、お前達の気持もわからねえこともない。しかし、盲人と娘に石を投げても、弥平の借金が減るわけじゃなかろう。あんまり、無分別はするな」

恐れ入った三人が逃げるように長寿庵を出て行ってから、長助が大きな嘆息をついた。

「若先生のおっしゃる通り、なにもかも、弥平の心がけの悪さから出たことではございますが、十三やそこらで売られて行く娘のことを思いますと、なんともはや……」

「そこらあたりを、木場の旦那方に相談してみたらどうなんだ。仮に利子の分だけでも持って行って、白藤検校に、もう少々待ってもらうとか……」

「左様でございますねえ」

長助が力のない返事をしたのは、誰もが、娘を哀れに思っても、いってみれば親の不始末で、それも酒と博打と聞けば、大方が同情を失ってしまうのが世間と、よく承知しているからで
「どうも、弥平の奴が、よくよく性根を入れかえませんことには……」

どうにもなるまい、と呟いている。

深川から永代橋を渡って、東吾は「かわせみ」へ畝源三郎を誘った。

「るいの奴が、精進落しの仕度をして待っているんだ」

実をいうと、この日、東吾と源三郎が連れ立って、向島まで出かけたのは、橋場の久三の法要のためであった。

日本橋の江嶋屋の事件（「酸漿は殺しの口笛」参照）で非業に死んだ一人の岡っ引のために、東吾と源三郎が施主となって小梅の寺で経を上げてもらった。

もともと、久三の親は小梅村の百姓で、親の墓もその寺のすみにある。香華をたむけながら、東吾も源三郎も心が晴れないのは、あの時の真犯人がその後、杳として行方が知れないことであった。

重い気持で小梅から戻って来て、これもあまり後味のよくない出来事にぶつかった。

いってみれば、人間の愚かさが生んだ悲劇に、安い同情をしていたらきりがないと二人ともわかっていて、やはり、心に負担が加わった感じであった。

「若先生、畝の旦那、お帰りなさいまし」

かわせみの暖簾をくぐると、番頭の嘉助がまっ先に声をかけ、今まで帳場にいたらしいるいが出迎えた。台所からは、女中頭のお吉がお清めの塩を持ってくる。

ここへ来てまで暗い顔をしているわけにもいかないので、東吾も源三郎もさりげなくいつもの様子になって、るいの居間へ行った。

庭はもう若葉がむせかえるほどの季節で、やや地味に装っている、るいの衣裳も夏姿であった。

気のきいた精進料理に酒が運ばれて、男二人は少し酔った。

夜が更けない中に源三郎は八丁堀へ帰り、東吾はそのまま、かわせみへ泊った。

翌朝、東吾が川風のさわやかなかわせみの庭で、干してある梅の実などを眺めているところへ、長助がやって来た。

「実は、ちょいとばかり、気になったことがございまして……」

申しわけなさそうに、東吾へ頭を下げた。

「うちの若え者が、若先生の素性を、白藤検校の娘に訊かれて、つい、喋っちまったというもんですから……」

「白藤検校の娘……」

「おきみさんというんですが、昨日の夕方、あっしが弥平のところへ出かけている留守にやって来て、一ッ目橋のところで、自分達を助けてくれた旦那様方は、どういうお方かと訊ねたんだそうで……それで、畝の旦那と若先生のことを……」

「別に、俺はかまわねえが……」

町奉行所、吟味方与力、神林通之進の弟と知れたところで、なんということはない。

「そんなことより、白藤検校のことを少し訊きたいな」

縁側へ腰を下すと、るいが新茶を二つ運んで来る。

「たいしたことを知っているわけじゃございませんが、本所へ来る前は、四谷に住んでいたそうでして、生れながら眼がみえなかったのではなく、赤ん坊の時に大病をして、それが元だときいて居ります」

失明した我が子の将来を案じて、両親は物心づくのを待って、琴の稽古に通わせる一方、鍼や揉療治を学ばせた。

「本名は徳松というんですが、運のいいことに、日頃、鍼療治に行っていたお旗本の大久保様の御隠居がころんで腰をひどく痛めたのを鍼と揉療治で治したのがきっかけで、あっちこっちに御贔屓がふえ、殊に大久保様の御隠居が大層、かわいがって、勾当、検校の位を取るのにも随分、お力添えを下さったという話で……」

金持の商家からの援助もあって、やがて本所に家を持ち、大方の盲人達がそうするように、琴や鍼療治の片手間に金貸し業も始めることになった。

「お上じゃ、眼の不自由な者に、格別の御慈悲を以て金貸しの利息を、暮しの足しにするようお定めになったんだそうですが、どうしてどうして暮しの足しどころか、利息で蔵の建つ検校も居りますそうで……」

徳松の白藤検校が、格別、阿漕な金貸しというわけではないが、僅かの間に、かなりの蓄財をしたらしいと長助はいった。

「そういう奴なら、女房のなりてがあっても不思議とはいえないな」

娘がいるのだから、女房があるのだろうと東吾が訊き、長助がぼんのくぼへ手をやった。

「へえ、それがお秋さんといいまして、そりゃきれいな人でして……」

「借金のかたに、嫁に来たのか」

金貸しの女房には、よくある話なので東吾がいったのだが、長助は大きく手をふった。

「そんなんじゃございません。四谷のほうの地主さんの娘で、琴の弟子だったようで、なれそめはどういうことだったかは存じませんが、親も承知の上で、徳松の女房になったんだそうですが、どうも体が弱く、一人娘のおきみさんを産んで間もなく床について長患いのあげく歿りましたんで……」

「お気の毒に……」

傍で聞いていたるいが低く呟き

「それじゃ、おきみさんっていう娘さんは、親一人子一人で……」

と訊く。

「そうなんですが、何分にも眼が不自由な上に男手じゃ子供は育てられません。おきみさんは、つい、この春までお袋の実家で、じいさん、ばあさんと暮していたんですが、その年寄が続けざまに歿りまして、それで本所の家のほうへ戻って来たそうです」

「おいくつなんです、おきみさん」

「十六になってるって聞きました」

そんな年齢まで、父親の許へ戻らなかったのは、一つには白藤検校の金貸しのためで

「なんといっても、人に憎まれる商売ですから、娘を傍におきたくなかったんじゃありませんか」

と長助は、うがったことをいった。

「あの娘、十六か」

東吾がぽつんといったのは、石つぶての中で父親をかばい、まわりの男たちを睨みつけていた、ちょっと気の強そうな娘の顔が目に浮んだからで

「まだ早いが、この先聟をみつける段になると、苦労するかも知れないな」
父親が盲人でも、検校の位を持っているし、金もあるのだから、聟になろうという男は決してないわけではあるまいが、金貸しという立場、或いはなまじ、金があるだけに、本当にいい相手がみつかるかどうかと、東吾は気を廻したのだったが
「東吾様ったら、まるで仲人でも頼まれたみたい……」
るいに軽く膝をつねられた。

二

十日ほど、狸穴の方月館へ出かけていてその月の代稽古をすませ、帰る時に、東吾は方月館の大番頭格の善助から、朝顔の苗を持たされた。

毎年、善助が丹精しているもので、色も鮮やかに大輪の花が咲く。

あまり見事なので、昨年、一鉢、もらって帰ったのを、善助はおぼえていて
「苗の中にお持ち下さったほうが、数多くても重荷になりませんし、少々、お手間はとらせても、花を咲かせるおたのしみがございましょうから……」

十本ばかりを、うまい具合に紙にくるんで下げて行けるようにしてくれた。

勿論、それをぶら下げて一番先にたどりついたのは大川端のかわせみで
「方月館から、朝顔の苗をもらって来たんだ」

庭の沓ぬぎのところへ下して、汗を拭く。

善助が、よく湿った藁の中へ囲って、紙に包んだ朝顔の苗は、るいとお吉が早速、鉢に植え、たっぷり水をやっている。

「昨年、頂いたのの種子をとっておいたんですよ。先月の終りに、鉢に播(ま)いたんですけど、いい具合に芽が出て、この苗ほどじゃありませんけど、随分、のびているんです」

陽のよく当る所へ並べてあったのを、るいが持って来てみせた。

「やっぱり、善助さんが下さった苗には、かないませんね」

花の話は女たちにまかせておいて、東吾は一風呂あびて、こざっぱりと浴衣(ゆかた)に着かえた。

「そういえば、お嬢さん、若先生に、あの話をなさいませんと……」

酒の仕度をして来たお吉が目くばせして、るいが東吾へ思わせぶりな様子を示した。

「お留守中に、あの方がおみえになったんですよ」

東吾は盃を手にして笑った。

「どうせ、ろくな奴じゃあるまい」

「長助親分が御当人に頼まれて、ここへ連れてみえたんです。東吾様にお目にかかって相談にのって頂きたいって……」

「誰だ」

「若い娘さん、とてもかわいい方……」

るいがつんとして、お吉はくすくす笑いながら部屋を逃げ出して行く。

「白藤検校の娘じゃないのか」

「あら、やっぱり胸におぼえがおありだったんですね」

「胸におぼえってなんだ」

「知りません」

「おきみが、なんだっていって来たんだ」

「名前まで、よくおぼえていらっしゃいました」

「相談なら、源さんにいってやれ、むこうは定廻りの旦那こと……」

「それが、おきみさんのおっしゃるには、お奉行所の旦那は怖いから、おいやなんですって
……」

「俺だって、八丁堀の人間だぞ」

「どなたかさんは、とてもお優しそうにみえるんでしょう」

「なにをいってやがる。俺が甘い顔をするのは、誰かさんの前だけだぞ」

酒の肴を運んで来たお吉が廊下でふき出して、漸く、甘すぎる口喧嘩の幕が下りた。

だが、それから半刻も経たない中に
「若先生、どう致しましょう。白藤検校の娘がやって参りましたが……」

嘉助がいささか困った表情で取り次いだ。

「相談事なら長助か源さんのところへ行ってくれ。俺はかわせみの用心棒で、そういうのは柄じゃねえんだ」

東吾がどなりかけたのを、るいがやんわり押えた。

「嘉助、かまわないから、ここへお通しして下さいな。折角、本所からおみえになったのに……」

「俺はいやだよ」

と東吾。

「そんなことをおっしゃるものじゃありません。情は人のためならずって申しますでしょう」

「俺が相談にのってやって、るいに文句をいわれたんじゃ立つ瀬がねえや」

「なんにも申しません」

「本当か」

「ええ、ですから、お話をきいてあげて下さいまし」

嘉助が苦笑して、娘を呼びに行った。

やがて、案内されて来たおきみは、こざっぱりした単衣(ひとえ)に友禅染めの帯を結び、如何(いか)にも初々しい娘ぶりである。おどおどと敷居ぎわに手をつくのを、るいがすすめて、やっと部屋の中に入った。

「俺に相談って、なんだ」

いささか、くすぐったい顔で東吾が訊いた。

おきみは、頭を下げ、少しためらったが、決心したように話し出した。

「実は、長助親分から、若先生があたしたちに石を投げた木場の人たちをお叱りになったときききまして……それで思い切って御相談申し上げてみたいと存じました」

両手を畳についたままで、おきみは上体を上げ、年よりはしっかりした表情で東吾をみつめた。

「父が弥平さんに頼まれてお金を御用立したことも、期限が切れて、そのお金の取り立ての使いをやったことも、父の罪ではございません」

「そりゃそうだ。金貸しも商売の一つ。長寿庵で蕎麦を食って、金を払わずに帰ろうとすりゃあ泥棒と同じだ。それと同じことだろう」

「はい……」

「それがどうした。誰かになにかいわれたのか」

「いえ、父の商売は商売と、私も割り切って居ります。ただ、弥平さんの娘さんが、吉原へ身売りをするかも知れないとききまして、そのお方は十三、同じ娘の身で、たまらない気持になりました。それで、父にたのみましてなんとか、弥平さんが娘を売らずにすむようにと……」

小風呂敷に包んで来た証文を出した。

一枚は弥平が十両借りた時のもので、朱筆があちこちに入っているのは、利子が三カ月ごとにふえて行ったのが書き込んであるためであった。

もう一枚は、新しい証文であった。

「父が書いてくれました。今までの利子は切りすてて、あと三カ月の中に元金の十両だけ返せばよいようにしてもらいました」

「よく、検校が納得したな」

おそらく、娘の涙に負けたのだろうと東吾は苦笑した。金貸し業が、客に情をかけていては商売にならない。

「私、これを弥平さんのところへ持って参って、話をつけたいと存じます。申しかねますが、証人としてついて行って頂けますまいか」

「俺がか……」

「長助親分におたのみしようかと思いましたけれど……木場には気の荒い人が多いそうで……とても、怖くて……」

「成程、用心棒か」

破顔して、東吾はあっさりとひき受けた。

「いいとも、これから一緒に行ってやろう」

「ありがとう存じます。弥平さんが娘さんをお売りにならない中にと存じまして……」

「そりゃあそうだ」

次の間へ行って、東吾は浴衣を単衣に着かえた。

「それじゃ、行ってくる……」

なにかいいたそうにしているるいへ

まだ明るい初夏の町へ、娘をつれて出かけて行った。

弥平の家は、深川の入舟町の三軒長屋の一つであった。

東吾がおきみを伴って路地を入って行くと長屋の女たちがあっちこっちから集って来てがや

がやさわぎ出した。

おきみの顔を知っている者が、大方、侍をつれて金の取り立てに来たのではないかといっているらしい。

かまわず、東吾は弥平の家の戸を開けた。

せまい部屋で女が二人、内職をしている。そのむこうで弥平はぼんやり膝を抱えていた。

「俺は神林東吾という者だが、白藤検校の代理人で、娘のおきみさんが、お前達に話があるそうだ」

まず、東吾が口を切り、仰天している弥平親子に、おきみは落ちついて二枚の証文を示し、これで、娘を売らずにすむだろうかと訊いた。

子細がわかって、弥平の女房と娘は涙をこぼし、弥平もしきりに鼻をすすり上げながら頭を下げた。

「ありがてえことで……これで俺達は救われます」

おきみは古い証文を破り、新しい証文に弥平の爪印を捺させた。

万事を終えて外へ出る。

弥平一家は路地の表まで出てきて、土下座して見送った。

深川八幡の近くまで、どちらも無言であった。

娘が息をはずませているのに気がついて、東吾は境内の茶店へ寄り、茶と団子を注文した。

「どうだ。いい気持だったか」

東吾の問いに、おきみは考え込んだ。

「よくわかりません。なんだか、不安な気もします」

茶を飲み、東吾の分まで団子を食べた。

「若先生にお願いに行こうと思ったら、気が昂って、朝からなにも咽喉を通らなかったんです」

「俺が今日、かわせみにいると、誰に訊いた」

「長助親分です。狸穴からお帰りになる日だからって……」

「みんな、よく知ってやがる……」

一休みして、おきみを本所へ送ることにした。ぼつぼつ夕暮である。

「あたし、父に頼んで金貸しをやめてもらおうと思っています。そんなことをしなくてもあたしが琴を教えて食べて行くくらいのことは出来ます」

「あんた、琴は上手なのか」

「四谷の祖父の所にいた時は二十人もお弟子を教えていたんです」

「そりゃあ、たいしたものだ。あんたは誰に習ったんだ」

「父です。あたしが六つの時から、四谷までそっと稽古に来てくれました」

「そうだったのか」

「父とお琴を教えて暮して行きたいと思います。いくら、お上が盲人の金貸しは悪いことではないと決めて下さっても、世間の人は後指をさしますもの」

「金って奴には、どうしても怨みつらみがつきまとうからなあ」

一ッ橋のところまで来ると、盲目の老人が杖を片手に立っていた。

おきみが気がついて走って近づいた。

「お父様……」

老いた父が娘の背を抱きしめた。心配のあまり、ここまで迎えに出たという様子である。

「こちらが一緒に行って下さったんです。弥平さんたち、とても喜んでいました」

白藤検校が、東吾のほうへ顔をむけた。

「神林東吾だ。娘さんのしたことがいいのか悪いのか、俺にはなんともいえねえ。しかし、琴の稽古にもあるんじゃねえのか、弾いてみなけりゃわからねえってことが……」

検校が深く頭を下げた。

「おっしゃる通りでございます。手前もそう存じて、娘の申す通りにいたしました」

こもごもに礼を述べて、親子が帰るのを見送って、東吾は大川端へ足をむけた。

三

それから三日目の午後。

長助のところの吉五郎が、韋駄天走りに八丁堀の神林家へかけつけて来た。

「お助けを願います。白藤検校のところで騒動が起りまして、うちの親分が行っていますが……」

話なかばで東吾はとび出した。

本所石原町の白藤検校の家へ行ってみると、奥座敷で初老の侍が脇差を抜き、それを長助や、この家の奉公人たちが必死になって押えつけている最中であった。

東吾が割って入って脇差を取り上げると、初老の侍は力尽きたように、畳へ手をついた。

「なんですか、急に切腹するっていうさわぎでして……」

長助が頭のてっぺんから湯気を立てて、東吾にささやいた。

白藤検校のほうは娘と庭へ逃げ出していた。

「いつも御用立申し上げている御旗本の……お名前はひかえさせて頂きますが……手前共は、娘のために金貸しはやめることにしたと申し上げましたところ、それではお家の大事になるとおっしゃいまして……」

つまり、金を借りに来てみたら、相手は金貸しはやめたといわれ、せっぱつまって逆上したということらしい。

「俺はてっきり、借金を返せねえ奴が、刃物三昧になったのかと思ったが……」

改めて、初老の侍を別室へ呼んで話をきいてみると、かなり大身の旗本の用人で、これまでにも金のやりくりに困ると、白藤検校のところで用立ててもらっていたという。

「主家の恥になること故、くわしくは申し上げられぬが、近く、お家に祝事があって、なんとしても入用の金子でござる。秋になって殿様所領地から今年の米が納められるまでの間、何卒、御用立頂きたく、命にかけてもお頼み仕る」

父親ほどの年輩の武士に両手をつかれて、東吾も途方に暮れた。止むなく、検校を呼び、やがて、いつものように証文とひきかえに渡された金をもって、侍は帰った。

東吾が居間に戻ってみると、おきみは放心したように、すわり込んでいる。

「商売をやめるってのも、なかなか大変なものだな」

娘の顔色をみて、東吾は声をかけた。

「先方にしてみれば、ここで何百両かの金を用立ててもらえなければ、家の体面が保てない。いってみれば死活の金だ。まして、大身の旗本ともなると世間体があるから、どこへでも行って金を借りてくればよいというものでもない。出来ることなら、お家の恥を知る者は気心の知れた貸借関係の相手だけに止めておきたい気持もあるだろう」

おきみが唇を嚙みしめた。

「今のお方の場合は仕方がないと思います。でも、あたし、金貸しをやめる気持だけは変えません。それだけは……。こんな思いをするのだって、お金を貸していればこそです。だから、あたし……」

白藤検校が東吾にむかって頭を下げ、東吾はうなずいて娘の傍をはなれた。

翌日、東吾は八丁堀の屋敷で、朝顔の鉢に水をやっていた。

かわせみから二鉢ばかり持って来たもので、鉢に竹の棒をさしてやると、長く延びた蔓がうまい具合に絡(から)みついて行く。

「旦那様がお呼びでございます」

用人が迎えに来て、東吾は兄の部屋へ行った。

客が一人、白藤検校であった。

「お前を訪ねて来たそうなので、ここへ通ってもらったのだが」

通之進の声が笑っていた。

「お前、いかほどの借銭を申し込んだのだ」

「冗談ではありません。手前は……」

東吾がむきになり、検校が慌てて遮った。

「とんでもございません。手前がおうかがい申したのは、左様なことではございません。重ね重ね、御厄介とは存じますが、手前にはこちら様の他に安心出来るお方がございませんところから、お願いに参ったわけでございます」

重たげな包を出した。

「三百両ほどございます。これを、おあずかり頂けますまいか……」

娘の嫁入りの時のための金だといった。

「娘は手前に、二度と金貸しをするなと申しました。娘の気持もわからぬではございませんし、手前も格別、金が欲しいとも思って居りません」

それで、万事を娘にまかせたという。

「蔵の鍵も娘に渡しました。今までの貸借の証文も全部、娘が持って居ります。娘の算段でどうしてもかまわぬと申しました」

おきみは毎日、机にむかって証文を調べ、暮しに困っている相手には、弥平にしてやったように利子をさしひいて、元金だけの証文に書き直したり、これまでに利子分として元金を越える金額を払っている者には、もう借金は終ったとして、証文を返してやったりしているという。

「もともと、娘のために貯めた金でございます。娘がどうするのもよいと存じて居ります。ただ、今までの手前の経験から判断いたしますと、娘のようなことをして居りましたら、一年か二年で、手前の貯めた金は底をつきましょう」

間もなく一文なしになる日が来ると検校は苦笑しながらいった。

「それもよろしいと存じます。手前は琴の稽古やら鍼療治で細々と暮しをたてて参ります。けれども、娘の嫁入り仕度の金だけは残しておきませんことには、娘が不愍でございます。それで、この金を神林様におあずかり願いたいのでございます」

眼がみえないので、信用する人がないと白藤検校がいった。

「ただ、こちら様だけは安心が出来ます」

「どうして、東吾を信ずるに足る男と思ったのだ」

通之進が訊いた。

「眼の不自由な其方が、何をもって東吾を信じた。奉行所の与力の弟という身分のためか」

白藤検校が僅かに首をまげた。

「お言葉を返しておそれ入りますが、手前は金貸しとして、随分、御身分の高いお方にもお目にかかって参りました。御身分ではお人柄までわかりかねます」

「すると、なんだ。東吾を信じて金をあずけたいと申す所以(ゆえん)は……」

「眼のみえない者には、その代りにしみじみと心に触れてくるものがございます。なんと申してよいかわかりませんが、最初にお目にかかった時、なんともさわやかなお人柄を感じました。手前だけではございません。娘が申しました。こちら様の前へ出ると、自分の心まであたたかくなると……手前にも、同じ心地がいたしました」

通之進が弟を眺めて、微笑した。

「検校どのの、買いかぶりかも知れぬが」

「それでもよろしゅうございます。手前は、手前の心の眼を信じとうございます」

手文庫から料紙を出して、通之進は自筆で証文を書いた。

「不肖、神林通之進、弟、東吾と連名で、検校どのの三百両をおあずかり申そう」

白藤検校が、両手で証文を押し頂いた。

「ありがとう存じます。これで、心が安まりました」

その月の終りに、かわせみへ寄った東吾は思いがけないことを耳にした。

「長助親分が昨日、知らせて来たんですけれど、弥平さんが殺されたそうですよ」

「弥平って、あの弥平か」

「ええ、東吾様がおきみさんに頼まれて御一緒にお出かけになった深川の……」

「いったい、なんで……」

お吉が、東吾のために冷たい素麺を運んで来て、口をはさんだ。

「それが情ないったらありゃしませんよ。岡場所で、酔っぱらって女のことで揉事(もめごと)をおこして、女のひもにずぶりとやられたんですって……」

「なんてことだ」

「本当になんてことですよ。折角、おきみさんが利子を払わなくていい、元金の十両だけ返せばっていって下さったのに、金を貯めるどころか、相変らず酒を飲んで、おまけに岡場所へ遊びに行ってたなんて……」

「女房子は泣くにも泣けねえな」

「全くですよ」

「おきみさん、どんな気持でしょうね」

そっと、るいがいった。

「あいつも口惜しがってるだろう」

「口惜しいよりも、悲しいんじゃありませんか、人の好意のわからない人が、この世にはいくらだっているけれども……それを、まともに受けるのが、お金を貸す商売かも知れませんもの」

「そうだろうなあ」

あの折、帰りの道で、人に善いことをしてやっていい気持か、と訊いた東吾に対して
「なにか不安で……」

と返事をしたおきみであった。

「あいつは勘のいい女だから、なんとなくわかっていたのかも知れねえな」

その夜は、るいの部屋へ泊って、翌日、東吾は珍しく、一人で永代橋を渡って本所へ行った。

白藤検校の家の白い藤はとっくに散ってしまっていたが、そのかわりのように玄関には朝顔の鉢が並べてある。

案内を乞うと、出て来たのは、木場の若い衆であった。

東吾をみると気まり悪そうに膝を折って挨拶をする。

「別に、こちらに頼まれたわけじゃねえんですが、年寄と若い娘だけの家に、ひょっとして馬鹿な真似をする奴が来るといけませんから、仕事のない連中が交替で留守番に来てますんで……」

それというのも、長助から、おきみが金貸しをやめようとしているのを聞いたからで

「こないだも、どこかの侍が金を出してくれなけりゃ腹を切るっておどかしたんだそうで、そういう奴は、俺達が放り出しちまいまさあ」

それに、弥平の一件も、彼らなりにすまながっているようであった。

「世の中なんてのは、片っ方から聞いただけを本当にすると、とんだ間違いをしでかすって、みんなで話し合いました」

奥から、おきみが出て来て、東吾を通した。

庭へ向った部屋に、琴が一面、おかれている。

「お稽古をしようと思っていたところですの」

父親の検校は日本橋の商家へ鍼の療治に招かれて行っているという。

「それじゃ、金貸し商売は、すっぱりやめたのか」

「そういうわけにも行かないんです」

眉をよせて、考え深そうな表情をする。

「世の中には、いろいろな事情を抱えている人がいますでしょう。父だって、長いこと、金貸し商売をしていたのですから、それなりのおつき合いとか、お義理ってものもありますもの、急にはやめられません」

一人一人、おきみがよく話をして
「仕方がない場合だけ、御用立しています」

「お前さんが決めるのか」

「ええ、父は、なにもかも、あたしの自由にしていいから、気のすむようにやりなさいって……」

「その中、すかんぴんになるぞ」

「かも知れません。でも、お琴がありますから……」

「今の中に、いい亭主をみつけろよ。お前さんと親父さんを大事にしてくれて、汗水流して働いてくれる御亭主を探すことだ」

「みつかりませんもの」

「みつかるよ」

おきみが愛らしい顔で笑った。

「若先生は、弥平さんのことを聞いて、お出で下さったのでしょう」

そういうところは、実に鋭い娘であった。

「お前さんが、がっかりしていると思ったんだ」

「がっかりはしました。でも、そういう人だってこと、最初からよく考えればわかったことでした。あたしは娘さんがかわいそうだと思ったので……」

「安い同情をして、後悔したか」

「乗りかかった舟で仕方がないから、十両はお香奠（こうでん）にしました」

「いよいよ、無一文になるな」

「その前に、働いて稼ぎます」

少しばかり恥かしそうに琴をみた。

「一曲、きいて下さいますか」

「いいとも、なるべく、むずかしいのを弾いてみせろよ」

「長くてもよろしければ……」

「こっちはどうせ、ひまなんだ」

琴爪を、おきみがはめた。

琴の前へ行って、正座をする。

ゆったりした曲が流れ出した。

白い琴爪が絃に触れたり、はじいたりするのを、東吾はもの珍しく眺めていた。

娘らしくない、力のある声でおきみが歌い出す。琴唄は、どこか子守歌に似ているようなところがあると思ったとたんに、東吾は睡気を感じた。

陽気も睡気を誘う午下りである。

うっかりすると舟を漕ぎそうになるのをこらえて、神林東吾は神妙な面持で琴をきいていた。

障子のむこうで、木場の若い衆が大きな鼾(いびき)をかいてねむっている。

東吾が、あくびを嚙み殺した。

川越から来た女

一

夜釣りの舟が、ゆっくり大川を漕ぎ上っていた。

竹屋の渡しを越えて、右手に長く続いていた向島の土手が終ったあたり

「若先生、この辺で、どうでござんしょう」

舳先にすわっていた深川の長助が声をかけ、先刻から、僅かな舟灯の下で、子細らしく釣竿をひねっていた東吾がうなずいて、針の先に餌をつけた。

舟は若い衆にまかせて、長助も東吾に並んで糸を垂れる。

「どうも二日続きの不漁でございましたから、今夜ぐらいは、なんとかなりませんと……」

長助が一人言のように呟いて、暗い川面に眼を落した。

「大方、水神さんが、つむじをまげてなさるんだろう。さもなけりゃ、仏滅とさんりんぼうが続いてるんだ」

慰め顔に、東吾がいったのは、そもそも夜釣りに東吾を誘ったのが長助だったからである。

長助の釣り好きは若い頃からのものだが、法華の信者で、殺生をなによりも嫌った祖母が歿ってからは、下に狂の字がつくほどになった。

まして、この季節、夜釣りにはもって来いの陽気なのである。で、「かわせみ」へ来て昼寝ばかりしている東吾に日頃の蘊蓄を傾けたあげく、易々とひっぱり出したまではよかったが、どういうわけか昨日も一昨日も、鯔一匹、かからない。東吾のほうは、魚が釣れようが釣れまいが、のんびり、糸を垂らして長助と世間話をしているのが、けっこう面白いらしくて、苦情もいわないが、毎夜のように長助に誘われて出かけて行く東吾に、るいはちょっぴりおかんむりで、今夜も出がけに、そのるいの気持を察している女中頭のお吉から

「釣りだ、釣りだって、いったい、なにを釣りにいらっしゃるんですかねえ」

と、流石に東吾へはいえないかわりに、長助が手ひどく皮肉られた。

それがあるから、長助としては、なんとか雑魚一匹でも針にかかって欲しい。出来ることなら大きな鯉の二、三匹も、かわせみへ土産に釣り上げたい心境であった。

「静かだな」

ぽつんと東吾がいい

「さいで……」

長助が低く応じた。

昨夜もその前の夜も晴れていて、星も月も出ていたが、今夜は空全体に雲が広がっているらしく、舟の灯だけが川面を照らしている。風もやや、なまあたたかい。本来ならば、こういう

夜こそ、当りがいい筈だと、長助は全身の神経を竿の先に集中しているのだが、どうも、さっぱり手ごたえがない。東吾のほうはどうなのかと、長助が様子をみると、明らかに糸がくいくいっと引かれているのに、肝腎の東吾は竿を上げようともしないで、あらぬ方を眺めている。

「若先生……」

慌てて長助が竿に手をかけようとすると

「おい、灯りをむこうへむけてみろ」

いきなり東吾が岸のほうを指した。

船頭役の若い衆が心得て、提灯をその方角へさしのばす。

大きな柳が岸辺ぎりぎりに枝を伸ばしていた。大水の時にでも土手が崩れたのか、太い幹が斜めに水面へ落ちかかっている。その下枝はすべて川に浸って、流れに弄ばれているといった恰好であった。

舟からさしのばされた提灯のあかりが、そのあたりを照らし出す。

「若先生、ありゃあ、土左衛門で……」

長助のところの若い衆が声を上げ、長助も眼をこらした。

確かに黒い物体が柳の枝にひっかかったような恰好で、浮きつ沈みつしている。

「おい、漕ぎよせろ」

俄かに職業意識が甦ったような長助が若い衆に下知をし、自分が提灯を取った。

舟が岸辺に近づくにつれて、黒い物体が明らかになった。

解けた髪が、枝にひっかかって、そのために白い顔が水面ぎりぎりのところで上をむいていた。長く流れにただよっているのは、女物の帯である。

「若え身空で、なんて無分別なことをしやあがる……」

長助が思わず呟いたのは、大の男が三人がかりで漸く舟にひっぱり上げた女の顔にまだ幼さが残っていたからで

「身投げでござんしょうか」

女の胸に耳をつけている東吾にいった。暗い中のことで、よくわからないが、木綿物の着物に花柄の帯が痛々しい。

急に、東吾が長助をふり仰いだ。

「こいつは、ひょっとすると助かるかも知れねえ」

ぎょっとした長助に命じた。

「すぐ舟を漕ぎ戻してくれ。まだ、心の臓が動いているようだ」

半信半疑ながら、長助と若い衆が力を合せて、舟を流れに乗せると、大川の下りは往きよりもずっと早く、あたふたと大川端のかわせみに娘の体を運び込んだ。

直ちに、嘉助が医者を迎えに走り、その間に、るいとお吉がまるで意識のない娘の体から濡れた着物を脱がせ、客用の浴衣に着せかえた。

待つほどもなく、医者がかけつけて来て、娘の診察をしたが、なんとも奇妙な顔付で帳場へやって来た。

「嘉助さんのお話ですすと、身投げとのことでございますが、水は殆ど飲んで居りませノ代りといっては、なんでございますが、胸を強く打った痕と、首にあざがありまして……」

「あざ……？」

と訊いたのは東吾で、医者が大きくうなずいた。

「指で強く押した痕ではないかと存じます」

通常、扼殺などの場合に残るものに、よく似ているといった。

「そう致しますと、身投げじゃございませんので……」

俄かに長助が色めき立ち

「畝の旦那にお知らせ申して参りましょうか」

と東吾に訊いた。

夜はすでに明けていた。

「今から参りますと、御出仕前に間に合います」

「そうしてくれ」

長助がとび出して行ってから、東吾は医者と娘の睡っている部屋をのぞいてみた。娘は、まだ意識が戻っていない。

「やがて、薬が効いて参りましょう。今暫くは、このままのほうがよろしゅうございましょう」

水中で冷え切った体は、お吉が湯たんぽを入れてあたためている。

「江戸のお人ではないような気がします」

東吾が、るいの部屋へ帰ってくると、着がえの仕度をしていたるいがいった。

「着ているものの柄などから想像しますと……」

田舎の、やや裕福な家の娘ではないかと思える節がある。

「江戸へ出て来て、物盗り(と)にでもあったのでございましょうか」

そこへ、畝源三郎が長助と共に到着した。

「とんだ夜釣りになったようですな」

すでに長助から事情はきいていて

「命はとりとめたことから察しても、そう上のほうから流されて来たわけではないでしょう。町廻りの前に、一応、長助と昨夜の場所を見て来ようと思います」

危うく水死体になりかけていた娘を、東吾が発見した場所である。

「よし、俺も行こう。どっちみち、娘が正気をとり戻すまでの暇つぶしだ」

東吾にしても、明るくなった、あの場所を自分の眼で確かめておきたかった。

舟を仕立てて、朝の光の中の大川を上る。

下り舟の大方は、葛飾辺りからの野菜を積んでいた。

百姓が夜明け前に畑へ出て、菜っ葉や大根、瓜や茄子(なす)などを江戸の町へ売りに来る。

「お吉が文句をいっていましたよ。毎晩毎晩小魚一匹、釣れもしないのに、性こりもなく、とうとう、とんでもないものを釣り上げて帰られたと……」

源三郎が笑い、東吾がうそぶいた。

「お吉の奴、年齢のせいか、馬鹿に小姑っぽくなりやがったんだ。ま、その中、大川の主みたいな、でっかい鯉でも釣り上げて、肝をつぶしてやるさ」

右側に水戸様の下屋敷の石垣がみえはじめて、舟は吾妻橋の下をくぐり抜けた。

向島の土手は葉桜になって、まぶしいばかりの新緑である。

長命寺から諏訪明神の木立と続いて
「あそこだ」

東吾が指したのは岸辺が少しばかり、けずられて川の水がそこによどんで、たゆたっているところであった。

柳の大木が斜めに川へ傾いて生えている。船頭が竿をあやつって、そこへ近づけた。

「間違えありません。ここんところの枝にひっかかって浮んで居りましたんで……」

舟へひき上げた時、娘の体に絡まっていた細い枝が折れたのだったが、その痕が、今朝みると、はっきり残っている。

「ここからは上れないな」

岸はかなり高かった。

急な勾配の土が、川へすべり落ちている。

「ここの上から、突き落したんでございましょうか」

それも考えられなくはなかった。

娘は首を締められてから、川へ投げ込まれている。

「他から、上ってみよう」

舟で更に川上へ行ってみたが、なかなか適当な舟着場がなく、遂に、寺島村から橋場へ渡す舟渡しへ着けた。

そこから土手っぷちをひき返す。道は桜並木のほうについていて、川のすぐ上にはない。

青草の茂る中をたどって行くと、やがて長助が下をのぞいていった。

「ここらでございます」

柳の大木は岸の中途から川へむかっている。

「夜だと、崖の途中に木があるのが、みえませんね」

源三郎がそういいながら、草の上を指した。

明らかに重いものをひきずった跡がある。その先をたどると、草がふみにじられたような場所がみつかった。

娘が首を締められかけて、争ったとすれば、そこらかも知れない。

「旦那……」

長助が草むらから赤い櫛(くし)を拾い上げた。続いて赤い鼻緒の草履が、ばらばらにみつかった。

「まだ、新しいな」

東吾が手にとって呟いた。いわゆる、おろしたてといった感じである。

三人の男が猟犬のように草の中を嗅ぎ廻りながら歩いて行くと、やがて道へ出た。

川とほぼ平行に、向島の桜並木の道がついている。

道のむこうは白髭神社、その隣が法泉寺であった。

早朝のことで、まだ人通りはないと思った道に、若い男が立ちどまってこっちをみていた。

こちらの三人と視線が合うと、そそくさと道を下りて、白髭大明神の境内へ入って行く。

別に挙動不審というわけではなかったが、東吾がなんとなく、そっちの方向へ歩き出し、源三郎と長助が続いた。

白髭大明神といっても、別当は真言宗で西蔵院という。もともとは、村の鎮守だが、この時代は、いわゆる神仏混淆（こんこう）であった。

境内は五百坪あまり、川の流れをひいた池があって、水鳥や魚の名所にもなっている。

社前で、若い男は別当職らしい老人に挨拶をしていた。

東吾達が参道へ入ると、彼のほうは社前の裏手へ廻って行く。どことなく、こっちを避けるふうなのが、気にならなくもない。

老人が三人の男をみて声をかけて来た。

「これはお早い御参詣ですな」

源三郎をみて、僅かに眉をひそめたのは、巻羽織で八丁堀の役人と気づいたためらしい。

「なんぞ、御用の筋で……」

東吾が答えた。

「昨夜、大川で若い女の水死体が上ったのだが、今のところ、身許を知る手がかりが一切ないので困り果てて居ります。ついでと申してはなんだが、かなわぬ時の神だのみとやら、当社に参詣すれば、良い智恵も湧こうかと、立ち寄ったところでござる」

老人が破顔した。

「それは御殊勝なこと。したが、大川べりに住む者の数は限りなく、御詮議は、さぞ御苦労なことでございましょう」

「左様、大川にとび込んだからといってなにも大川べりに住居する者とは限らず、どこからかやって来て身投げしたということになれば、親許からの届け出でもない限り、身許もわからず無縁仏になりかねません」

「ごもっとも……お気の毒なことでございますな」

よろしかったら、お茶でもと老人が誘い、三人は社務所で渋茶の接待にあずかった。

東吾は柄にもなく、しきりに境内の松の枝ぶりなどを賞めている。

「これだけの名木が揃っている社家では、さぞかし庭木の手入れが大変でござろうが、出入りの植木屋は、どちらでござるか」

老人が少しばかり自慢そうに答えた。

「当社は以前より植辰が入って居ります」

植木屋辰五郎の名は、庭作りに関心のある者なら大方が知っていた。

向島にある植辰の庭は花木奇石で山水の庭を表現していることで有名でもあった。

「すると、御別当が先刻、声をかけられた若者も、その植辰の職人で……」

「左様、松五郎と申して、植辰の若い者でございますよ」

「年に似合わず、早朝の神詣では、なにか心願でも……」

「さあ、そのようなことは聞いて居りませんが……」

「いや、そんなこともないが、以前、親方について参って、境内の木の枝下しをしたりして居りますので……」

なにかのついでにお詣りに寄ったのだろうという。

そのあと、東吾は長命寺の桜餅の話などをした。

向島名物の桜餅に使う葉の数は、醤油樽に漬けて、一樽でおよそ二万五千枚、一年で三十一樽も漬けるから、葉の数は七十七万五千枚になるなどという馬鹿馬鹿しい話をしてから、漸く腰を上げた。

向島の土手へ出る。

「東吾さん……」

源三郎がすぐに訊いた。

「どうして、先刻の男が、植木屋の若い者だと、わかりました」

「あてずっぽうだよ」

東吾が苦笑した。

「あいつ、別当と話す時に、なんとなく木の梢を見上げて、さも、もっともらしい顔をしていただろう。それと、植込みの木の上に落ちている松葉をちょいちょいとつまんで捨てていた。

あの手つきが玄人（くろうと）だった」

「松五郎を調べますか」

勢い込んでいるのは、長助で

「あいつの様子はおかしゅうございます。こんな朝っぱらから、植木屋の若い者がうろうろ歩き廻るってのも解（げ）せませんし、旦那方をみて、境内へ逃げ込んだのも合点が行きません」

これから、植辰の所へ行って、それとなく様子を訊いてみるといった。

「それもいいだろう。長助のことだからぬかりはあるまいが、ここ二、三日の中に、あいつを訪ねて田舎から若い女がやって来たことはねえか、それと、昨夜あいつがどこに居たか……」

「合点です」

長助を向島へ残して、東吾と源三郎はかわせみへひき返した。

娘は、今しがた意識が戻ったところだという。

「まだ、ぼんやりして、話す気力もないようですが……」

るいが相手をしたのだが

「川越から来たということと、お三重さんという名前しか、話してくれません」

怯（おび）え切っていて、お粥（かゆ）もろくに咽喉（のど）を通らない有様だといった。

「無理もあるまい。なにしろ、殺されかけているんだから……」

るいと一緒に、東吾と源三郎が娘の寝かされている部屋へ行った。

お三重は放心したような顔を天井にむけている。

東吾は、まず、向島の土手で拾って来た櫛と草履をみせた。

「これは、お前のものだろうな」

娘は顔色を変えた。

「心配することはない。お上はお前を守ってやることが出来る。昨夜、なにがあったのか、くわしく話してみることだ」

そういえば、娘は必死になって、昨夜の殺人未遂について話すだろうと考えていた東吾の予想を裏切って、お三重の口は貝のように開かなかった。

それでも根気よく、長い時間をかけて少しずつ、訊き出したものの、その返事はひどく頼りないものであった。

お三重は両親も兄弟もいないといった。

川越から江戸へ出て来たのは、人を訪ねて来たのだが、その相手の名前を訊くと

「忘れました。川へ落ちて気を失っている中に……忘れてしまって、思い出せません」

という。

どうして、川へ落ちたのかという問いに対しては、最初、夜道を歩いていて足をすべらせて落ちたといい、そんな筈はないと追及すると

「男の人が、いきなり襲って来て、お金めあてだと思います。咽喉をしめられて気を失って……それからはおぼえていません」

といい直した。

何故、向島あたりへ行っていたのかといえば
「わかりません。江戸は始めてですし、どこをどう歩いたのか……」

訪ねる先は、なんというところだったのかといっても
「それが、やっぱり思い出せませんので……」

それ以上は泣き出してしまう。

「弱りましたな」

るいの部屋で、東吾と源三郎が腕をこまねいた。

「人間、思いがけない出来事にあって、記憶をなくしてしまうという話は聞いたことがあります。しかし、あの娘の場合、どうも、そうではないように思えます」

少くとも、川越から出て来たということと、自分の名前はおぼえていた。

「それに、川越から昨日、江戸へ出て来て、そのまま、盗人に襲われて金を奪われ、川へ突き落されたのならば、旅仕度の筈でしょう」

荷物は盗まれたとしても、足は当然、草鞋ばきの筈である。

「新しい草履をはいていたことは、江戸へ着いて、旅装を着がえたと思うべきでしょう」

昼食がわりの蕎麦を運んで来たるいがそっといった。

「あの娘さん、どなたかをかばっているのではありませんかしら」

その人に迷惑のかかるのを怖れて、本当のことをいえないでいるのではないかと、るいは想

像している。

「若い女が川越から訪ねて行く先といえば、まず好きな男だろうな」

幼な馴染(なじみ)を訪ねていったら、すげなくされて、それで世をはかなんで身投げということなら、まあ筋が通らないこともない。

「よくある話だからな」

しかし、娘は明らかに殺されかけていた。

「身投げなら、咽喉の痕はおかしいだろう」

「死ぬつもりで川っぷちを歩いているのを、悪い奴が襲ったんじゃありませんか。お三重さんのいった通り、お金を盗るのが目的で……」

それなら、娘が最初、身投げをしたといい、次に盗人に襲われたといい直したのも、納得出来る。

「訪ねて来た男の名前をいわないのは、娘さんの意地かも知れませんよ。自分を捨てた男の名前なんぞ、二度と口にしたくないといいたげなるいに、東吾と源三郎が顔を見合せた。

女の気持は、女にしかわからないといった……」

「とすると、どうすればいいんだ」

「そっとしておいてあげましょう。心も体も元気になったところで、改めて相談にのってあげることも出来ますし……」

るいは、すっかり女長兵衛を気どっている。

「とにかく、気をつけてくれ」

嘉助にいい残して、東吾と源三郎は深川へ行った。

長寿庵へ行ってみると、長助は帰って来たばかりで

「申しわけありません。今から大川端へ参ろうと思っていたところで……」

いささか、がっかりした表情なのは、たいした収穫がなかったためのようである。

「松五郎というのは、植辰の若い者でした。その点でも間違いはございません」

仲間に訊いたところでは、生国は葛飾で、今年二十八、まだ独り者だから親方の家で寝泊りしている。

「まあ、若い者のことですから、夜はよく出かけるそうで……」

「女か……」

「いえ、賭け将棋で……」

当人はかなり熱くなって、そのあげくあっちこっちに借金がある。

「親方にも、始終、叱言(こごと)をくらっているそうです」

昨夜も、お出入り先で懇々(こんこん)と諭(さと)されたとかで

「しょんぼりして帰って来て、はやばやと寝ちまったそうです」

植辰の住居は向島の寺島村で、お三重が突き落された場所と、それほど遠くはないが

「いくらなんでも、素人(しろうと)が行きずりに人を襲って金を盗るというのは、どうでござんしょう。お三重さんがよほど大枚の金を持っていたかして、それを松五郎が、なにかで知れば、また、

話は別ですが……」

植辰で聞いた限りでは、賭け将棋の他には、これといって道楽もないし

「気は小さいがまじめで、よく働くということです」

長助の感触としては、どうも下手人とは違うような気がするという。

「それから、今朝の白髭大明神ですが、松五郎が親方のおかみさんに話したところによると、賭け将棋をすっぱりやめるために、白髭さんに願をかけたんだそうです。親方のお灸がきいたって、おかみさんは喜んでいました」

となると、松五郎に関しては格別、不審もない。

「念のために、松五郎の仕事の出入り先にも寄って来ましたが……」

小梅村に井上将基という高名な医者の別宅がある。

広い庭に漢方の薬草を栽培していて、その手入れに植辰のところの若い者が何人か通っているが、松五郎もその一人で、仕事熱心なので当主の将基が格別、目をかけてくれていると植辰で聞いて、長助は早速、そっちへ寄ってみたのだったが

「井上先生は御本宅のほうへいらしていて、お目にかかれませんでしたが、若いお弟子さんが松五郎を賞めていました。賭け将棋で負けた金にしても、そうたいした額ではなくて、井上先生が、よく働いてくれるから、手間賃に少し色をつけてやれば、すぐ返せるだろうと松五郎におっしゃったそうで、松五郎は大層、喜んでいたといいます」

深川の通りを、金魚売りの呼び声が通って行った。

ここ数日、江戸はめっきり夏の気配が濃くなっている。

三日が過ぎた。

二

かわせみにいるお三重は、少しずつ回復しているようだったが、相変らずなにも喋(しゃべ)らず、ぼんやり物思いにふけっていることが多い。

そのかわせみで、なによりも驚いたのは、お三重が自分の帯をほどいて、その内側に縫い込んでおいた十両の金を、改めて帳場であずかってくれと差し出したことであった。

「旅に出る時、用心のために、帯の中にかくして来ました」

小出しの財布は奪られてしまったが、その十両からかわせみの宿賃や医者への支払いをしてくれといわれて、るいも嘉助もあっけにとられた。

「用心のいい娘さんですね」

お吉は単純に感心したが、るいは、若い女が、そうまでして江戸へ出て来るには、それなりの子細があったに違いないと考えていた。

訪ねて来た相手に裏切られたのか、それとも、本当に記憶を失って思い出せないでいるのか、るいの出してやった朝顔の柄の単衣(ひとえ)に、赤い帯を結んだ娘は瓜実顔で眼が大きく、なかなかの器量よしであった。育ちも悪くなさそうだし、気立のいいことは、彼女の面倒をみている中に、よくわかった。自分で出来ることはなんでもしようとするし、お吉や女中達にも、いじらしいくらいに気を遣っている。

　年齢は十七だと自分でいった。

　それにしては、まだ子供子供して、あどけないところがある。なにかの時に話したのだが、母親が早く死んで、父親から溺愛(できあい)されて育ったという。成程、そう聞いてみると合点の行く感じであった。

　万事に気がつくせに、子供っぽいというのは、父親だけに育てられたせいに違いない。

　その父親はこの春、外出先で倒れ、そのまま、意識が戻ることなく逝ったという。

　家業については、なにもいわなかった。一番、心を許しているらしいるいに対しても、まだ口が固い。

「世の中には信じられないことが、次々に起るような気が致します。父が歿(なくな)りましたのも、信じられませんでしたし、こうして、お宅様の御厄介になったのも、信じられない気持でございます」

　吐息のように訴えた娘が、本当に信じられないでいるのは、おそらく江戸へ出てきてからの或ることだったろうと思いながら、るいはそれを追求しなかった。

　人には、誰にも話せないことがある。強いて訊ねる必要はなかった。

　東吾がかわせみへやって来た時、るいは男物の麻の着物を縫っていた。無論、東吾の夏仕度である。

「あの娘、どうしている」

いきなり訊かれて、るいは声をひそめた。

「お三重さんのことで、なにか……」

彼女は部屋にいる筈であった。もう起きられるが、滅多に部屋から外へ出て来ない。

「直接、かかわり合いがあるかどうか、わからねえんだが、松五郎が殺されたんだ」

るいが、わからない顔をし、東吾は慌てて説明した。

「向島の植辰のところの若い者だ。お三重が殺されそこなった翌朝、白髭大明神のところで、俺達と出会った……」

「その人が、なんでお三重さんと……」

「とにかく、お三重に訊いてみてくれ。植辰の松五郎という男を知っているかどうか」

るいがそっと立って行き、お吉が冷たい麦湯を運んで来て、取り次いだ。

「若先生、長助親分が来ていますけど……」

「ああ、こっちへ呼んでくれ」

庭から廻って来た長助は、顔中、汗になっていた。

まだ、梅雨にも入っていないというのに、今日も朝から馬鹿に暑い。

「源さんは一緒じゃなかったのか」

東吾が訊き、長助は手拭で顔を拭った。

「畝の旦那は奉行所へお戻りになりました。手前は若先生にお知らせ申すように、いいつかりまして……」

松五郎の死体がみつかったのは、やはり大川で、お三重の時よりもやや上流、ちょうど橋場への渡しを越えて、木母寺を過ぎ、綾瀬川が大川へ流れ込む近くだったという。

「葛西からの舟の竿に、死体が当ったんだそうで、おそるおそる竿を上げてみると、帯の端がひっかかって来たそうでして……」

近くにいた渡し舟にも声をかけ、木母寺のほうから人も出て、各々の舟の竿をひっかけ、ひっかけして、死体を岸へ着けたという。

「溺死だったのか」

「いいえ、御検屍の旦那方の話では、胸のところを細い刃物で突いた跡があるとかで……」

「細い刃物……」

「へえ、木彫なんぞに使う刃の薄いものじゃねえかということでした……」

「突き殺してから、川へ投げ込んだのか」

「そのようで、水はまるっきり飲んじゃいません」

そこへ、るいが戻って来た。

「お三重さんは、松五郎という名前に心当りがないようでした。ただ、その人が、どうかしたのかと訊きましたので、どうやら殺されたようだと申しましたら、急に青い顔をして黙り込んでしまって……」

まだ、そんな話をするには早かったのではないかと案じ顔である。

「やっぱり、若先生はお三重さんの件と、松五郎をかかわりがあるとお考えで……」

長助が、お吉からもらった麦湯を旨そうに飲み干してから訊ねた。

「どうも、気になるんだ。お三重の場合は、締めてから大川へ投げ、松五郎は突いてからやっぱり、大川だ」

手口としては、似ていないこともない。

「下手人は、なんだって松五郎を殺したんでしょう」

「それが、わかりゃあ苦労はねえよ」

それでも東吾は立ち上っていた。

「暑いところをすまねえが、一緒に向島まで行ってくれ」

長助が勇み立った。

「よろしゅうございます。どこへなりとお供をします」

西陽の中を、東吾と長助は歩いて向島の植木屋辰五郎の家へ行った。

形ばかりだが、通夜の仕度が出来ている。

「葛飾の親許に使いをやりましたので、やがてかけつけてくると存じますが、とりあえず、お通夜だけでもしてやりたいと思いまして……」

植辰の内儀のおさだはしっかり者で若い衆の面倒みがいいといわれるだけあって、そうした采配は水ぎわだっている。

「なんで、あの気の小さな人が、殺されるようなことになったのでございましょう。人の怨みを買うようなこともありますまいに……」

死因について、誰も心当りがないといった。

「賭け将棋もすっぱりやめて、毎日、仕事に精を出して居りましたのに……」

その点は、仲間の連中も口を揃えた。

「松五郎の姿がみえなくなったのは、いつからだ」

東吾が訊き、植辰の職人の中では古参の弥助というのが答えた。

「昨日は一日中、お出入り先の仕事をして居りまして、夕方に帰って参りました」

職人達の住いになっている家のほうで夕飯をすませて、あとは各々、勝手となっている。

「松五郎は夜になってから、どうも暑くて寝つかれねえから、庭で涼んでくるといって出て行きました」

帰って来たのをみた者はいないので、それが、仲間のみた松五郎の最後ということになる。

「それは、何刻頃だ……」

「かなり更けてはいたようですが……」

時刻を確かめた者はいなかった。

疲れ果てて、寝てしまっている者も多かったし、起きていた者も酒を飲んでいたりして、間もなく横になってしまった。

「この二、三日、松五郎の様子に変ったことはなかったか」

弥助が、それに答えた。

「特に変ったことというのではございませんが、どことなく落ちつかないふうでした。好きな

「井上の娘が、弟子に惚れていると、どうしてわかる」

「貴公の顔に描いてあるさ。大方、その弟子が、いささか、うさんくさい奴なのだろう」

「いや、みたところ、そうでもなかった。天野宗一郎ほどではないが、かなりの男前だ」

「井上の娘といい仲なのか」

「そんな感じがしなくもなかったが……」

植辰の家で、ほんの僅かの間、二人を眺めての東吾の直感である。

「医者を志す者にとって、井上の聟になるってのは、大層な出世なのだろうな」

「そりゃそうだろう。その男に身分も家柄もない場合はね」

「むかしの恋人を殺しても、か」

はじめて、宗一郎が白い歯をみせた。

「そういうむずかしいことには答えられないが、医者には二つの傾向があることだけは教えてやろう。一つは人の命を重いと考える、もう一つは、人の命を軽く思う。どちらも一人の医者の心の中で起り得ることだ」

始終、人の生死をまのあたりにして、時には、それに自分が手を貸している。

「命の尊さ、生命力の強さに感動する一方で、人の死ぬ時とは、なんとあっけないものかとも知っている。これが怖いといえばいえる」

「人間の命が虫けらにみえることはあるか」

「あるだろう。自分にとって大事な人間の命は貴重で、かかわりのない人間の命は虫けらの如くというのは、なにも医者だけではあるまい」

「そりゃあそうだ」

東吾が少し、遠くをみるような眼をした。

「この御時世、医者として生きるのも大変なんだろうな」

宗一郎が大笑した。

「当り前だ。東吾さんのようにおっとりしていたら、忽ち、飯の食い上げだ」

天野家を出て、東吾はやや、くたびれた足どりで大川端へ帰って来た。

その耳にとび込んで来たのは、嘉助の声である。

「若先生、えらいことをしてしまいました。お三重さんの姿がみえませんので……」

今しがた、お吉が部屋へ夜の御膳を運んで行くと、お三重の姿がなくて、きちんとたたんだ夜具の上に手紙がのせてあった。

いろいろ、お世話になりました
御恩は忘れません

おるいさま　　　　　　　　　　お三重

というもので、どうやら庭伝いに裏口から忍び出たものではないかとわかり、手わけして探している最中だという。

「なにしろ、十両のお金をおあずかりして居りますし、時刻から考えても、川越へ帰ったとは思えません」

お三重が出て行った時刻は、ちょうどかわせみがもっとも忙しくなる夕方をねらったものであった。

「どうしましょう。東吾様、あの人の身に万一のことがあったら……」

まっ青になっているるいに、東吾が訊ねた。

「お三重という女、ひょっとして医者の娘と思ったことはなかったか」

るいがあっけにとられ、それから急に声を大きくした。

「そういえば、お吉が……お三重さんは自分が使った繃帯(ほうたい)を自分で洗って始末をしたんですけれど、その巻き方がお医者のように上手だって……」

そこへ長助と源三郎が来た。

「植辰の女房が、東吾さんに訊かれたことを思い出したといって来たんです。川越生れの知り合いは……」

「井上将基のところの内弟子の郁太郎って奴じゃないのか」

長助が、とび上った。

「若先生、どうして、それを……」

「話はあとだ。お三重が危い」

かわせみをとび出して、永代橋を走って渡った。

大川に沿って、まっしぐらに深川、本所を抜ける。

「長助、井上将基の家へ行ってくれ」

「小梅村でございますか」

それなら、業平橋の袂を北へ廻ったところだといい、長助が先に立った。

だが、井上家へ行ってみると

「郁太郎さんなら、今しがた出て行きました。若い女の人が訪ねて来て……」

留守をしている庭番がいう。

「どっちへ行った」

東吾がどなり、庭番が怯えた。

「川に沿って、秋葉様のほうへ……」

すでに日は落ちていた。

田と畑ばかりが続いているこの附近は小川が多かった。どこかで蛙の声がする。

秋葉神社の木立のそばで、長助の足が止った。三人の男が、一せいに同じところをみる。小川の上の小さな橋の上に、女が立っていた。少し離れて、男が一人。

男の声が狼狽していた。

「俺は、てっきり、お前が松五郎に殺されたと……」

「どうして、あの人があたしを殺すんですか」

はね返すような調子はお三重であった。

「それは……あいつはお前の金に目がくらんで……」

「あの人は、あたしがお金を持っていることなんか知りませんでした。あたしの首を締めたあと、盗ろうと思えば、帯の間に縫い込んであったお金がとれる。でも、あの人はそうしなかった。知らなかったんです。あたしがお金を持っているのを……」

お三重がゆっくり郁太郎をふりむいた。

「あたしが邪魔だったら、はっきり、そういってくれたらよかったんです。お父さんが歿った知らせを受け取った時に、手紙でいいから、自分をあてにしないでくれ、お前のことなんぞ好きでもなんでもない、と、そういってよこしてくれれば、あたし、江戸になんか出て来なかった。どんなに口惜しくとも、泣いても苦しんでも、あんたを忘れようとしただろうに……」

男の返事はなかった。ただ、落ちつきなく、あたりを見廻しただけである。

「あたしが殺されたと、あんたは思って、だから、あたし、このまんま、川越へ帰ろうと思った。でも、どうしてもその気になれなかった。殺されてもいい、あんたが本当にあたしを殺せって、松五郎にいいつけたのか、それだけが知りたかった……」

女の声が悲痛であった。信じ切っていた者に裏切られた悲しみと憤りがこもっている。

「あたし、今でも思っています。自分がどんなに馬鹿なことをしているか。あんたがあたしを生かしておく筈はないって、わかり切っているのに……」

男が女に近づいた。反射的に逃げようとして、お三重がふみとどまった。

「殺すのね。あたしを……」

男が、かすかに応じた。

「自分でいったろう。生かしておけるわけがないと……」

「恩知らず」

お三重が叫んだ。

「誰のおかげで医者になれたの。誰のおかげで江戸へ修業に出たの……誰のおかげで……」

男が襲いかかり、こっちからは男三人が地を蹴った。

捕物としては、あっけない幕切れであった。

「お前さんには、驚かされるよ。こんな無鉄砲な娘は、はじめてだ」

三日ばかり走り梅雨のような空模様が続いて、漸く、からりと晴れ上った朝、かわせみを発って川越へ帰るお三重に東吾が笑った。

「間に合ったからいいようなものの、お前、下手をすると殺されていたんだぜ」

「やけくそだったんです」

お三重が泣きそうな笑顔を作った。

「自分でも馬鹿だったと思います。でも、あれで、ふっ切れました」

もう迷いはないといった。

「新しく生き直します」

父親の急死を知らせても返事のなかった男に不安は最初からあったのに、江戸へ出て来て、その男のいいなりになって危うく殺されかけた。

「父があの人にしてあげたことが、あんまり大きかったので、まさか、あれだけの大恩に対して と思ったのが間違いでした」

人の心は順風に帆を上げると、苦しいむかしがどんどん遠くなる。

「でも、あたしは皆さんの御恩を忘れません、一所けんめい生きて、御恩を無駄にはしません」

思ったより元気な足どりで、お三重は川越へ帰って行った。

「お三重が小梅村へ郁太郎を訪ねて行った時、郁太郎一人きりだったんだ。それで、まあいろいろ弁解したり、ねんごろにしたりしている中に、松五郎が薬園から戻って来て、みつかってしまった。毒食えば皿までと思ったのか、松五郎が賭け将棋に負けて借金に困っているのを知っていたから、金で釣ってお三重を殺させた。悪い奴だが、受けた恩義が大きすぎて、かえって恩人の娘を殺さなけりゃならない気持に追い込まれたんだ。そのあたりの人の心が怖いっていやあ怖い」

医者をしていると人間の命がひどく軽くみえることがあるといった天野宗一郎の言葉を東吾は思い出していた。大きな出世を前にした男は、昔の恋人の命が虫けらにみえたのだろうか。

大川端の土手に卯の花が咲きはじめていた。

一両二分の女

一

花の香の中で、東吾は目をさました。

夜はもうあけていて、雀の囀りが聞えている。

これは山百合の匂いだと思い、東吾は首を廻した。昨日、狸穴の方月館からの帰りに、近在の百姓が見事な山百合を荷車の上に積んで行くのをみかけ、声をかけて五本ばかり買って来た。

「かわせみ」へ着いてから、るいが竹籠にいけたのだが、夜更けて寝る段になると、部屋に香がこもって息苦しい感じがするので、廊下に出しておいた。

その山百合の香が、障子越しに、東吾の寝ている青蚊帳の中まで、ただよって来ているのであった。

るいが戻って来たのは、そんな時で、足音を忍ばせるように隣の部屋へ入ると、鏡に向っている。

一枚だけ開けてある襖のところから、るいの後姿が、寝ている東吾によく見えた。

昨日、きれいに結い上げてあった髪を今朝はすっかりほどいて、背中に長く垂らしている。るいが柔かに体をまげて、手拭で髪を拭っているのが、ひどく色っぽかった。

「おい、髪を洗ったのか」

蚊帳の中から声をかけると、るいは驚いたようにふりむき、立ち上って、こっちの部屋へ入って来た。

「お目ざめでしたの」

起きぬけに、湯に入って髪を洗ったらしい。

白地に柳と燕を染めた浴衣に、朱鷺色のしごきを結んでいる。昨夜が十日ぶりの逢瀬で、あれだけ快楽の限りを尽したというのに、東吾は、また、むらむらとその気になった。

「こっちへ来いよ」

「蚊帳をたたみましょうか」

「いいから、入れ」

るいが途惑った表情で蚊帳のすそをめくって来るのを待ちかねて、ひき寄せた。ほんのり、湿り気を帯びている髪の感触も男心をそそって、東吾は遠慮なく、るいのしごきに手をかけた。

「いけませんわ。もう、朝ですのに……」

口ではそういいながら、るいはすぐに抵抗をあきらめた。年下の亭主は甘ったれで、夜具の中では、母親に甘える赤ん坊のようになる。

朝の光の中で、東吾は久しぶりにるいの白い裸身を眺め、愛撫し、そして堪能した。

るいのほうも、夜とは違った刺戟のせいか、いつもより激しい反応をみせている。半びらきになった唇からは、どう押し殺してもおさえ切れない声が洩れて、強くつぶっている瞼が、桜色に染まって、ひくひく痙攣し、八の字になった眉が恍惚の極みの苦悶を訴えている。

それをみている東吾のほうも夢中になって、この辺で手加減をしないと、るいが起き上れなくなると承知していて、つい、その限界を越えてしまった。

果して、るいは気を失った。東吾が口うつしで水を飲ませてやっても、夢心地で、ただ東吾にすがりついている。

障子に映っている朝の光が、かなり明るくなっていて、東吾はいささか狼狽した。

かわせみの中で、この部屋は一番、奥まったところにあるから、宿屋稼業のざわめきも殆ど聞えては来ないものの陽が高くなって、二人とも起きて来ないのでは、嘉助やお吉の手前、具合が悪い。

すがりついたまま、かすかな寝息を立てているるいを、そっと蚊帳の中に残して、東吾は次の間へ出て衣服を着かえた。

音を立てないように廊下へ出ると、その姿をみつけたお吉がとんで来た。

「るいは、少し具合が悪いんだ。寝かしておいてやりたいから……」

照れくさいのを我慢して、東吾がいいかけると

「ええっ、お嬢さん、お具合が悪いんですか」

仰天したお吉が、東吾の顔に気づいて、自分のほうが赤くなった。うつむいたままで朝風呂

の仕度が出来ているという。

東吾はそそくさと湯殿へ行った。

格子を打った小窓から夏空がみえている。今日もかなり暑くなりそうだと思い、湯から上ると、お吉がちゃんと真新しい上布を出している。それを着て、裏口から近所の髪結い床へ行って月代をあたってもらって、さっぱりした気分で、今度はかわせみの暖簾のほうから戻ってみると、帳場に畝源三郎が来ていた。

「なんだ、源さん、どうかしたのか」

虚を突かれた恰好で声をかけたのは、同じ帳場にかしこまっている嘉助が、えらく困惑した様子でいたためである。

「なにかあったのか」

昨夜、るいの部屋に泊った東吾としては、間の抜けた問いである。

嘉助が皺だらけの顔でたて続けにお辞儀をした。

「どうも、おさわがせをして申しわけございません。お客様のおつれ様が、昨夜の中に手前どもへお越しになる筈のところを、未だにお出でになりませんので……」

嘉助の背後に、初老の客がいて、東吾に頭を下げた。

能登から江戸へ出て来た客で、輪島屋久兵衛という。

能登は塗物の産地で、いわゆる輪島塗と呼ばれる黒色の蠟色塗りの漆器は堅牢で使い易いところから日常の什器として広く愛用されている。

で、そうした塗物の産地の問屋である輪島屋などは、毎年江戸へ出て来て塗物問屋を廻り、注文を取って帰っては、翌年出来上った品物を持って次の注文を取るといった商用のために、この季節、大体半月から一カ月近く江戸に滞在する。

「輪島屋さんは、いつも、日本橋の藤屋さんが常宿でございますが、今年に限って、藤屋さんのほうに空いたお部屋がございませんで、手前共のほうへ御紹介下さったのでございます」

例年、いつぐらいには江戸へ出てくると決めて宿を頼んでおいても、その年の天候次第で旅の日程が変る。まして能登は舟で越後の柏崎へ渡ってから陸路を来るので、舟の便が悪いと半月や一カ月は旅程が狂い、今年も海が荒れて出発が遅れ、漸く江戸へ着いてみたら、藤屋は客が一杯で、同業のかわせみへ廻してよこしたというわけである。

で、輪島屋久兵衛はかわせみへ泊っていたが、一緒に出て来た折戸屋吉之助のほうは、別の知り合いへ行って泊っていた。

それで、商用の終った昨日の夜に、折戸屋のほうもかわせみへ合流して、今朝、越後へ向けて早立ちをする約束だったのが、いくら待ってもやって来ない。

仕方がないので、輪島屋久兵衛には寝てもらって、かわせみでは、番頭の嘉助が寝ずの番をしたのだが、とうとう朝になっても折戸屋吉之助は姿をみせなかった。

「万一にも、なにかあったのではと思いまして、畝様にお知らせ申しました」

嘉助の話をきいて、東吾が頭へ手をやった。

「そんなことがあったのなら、昨夜の中に、俺に知らせればいいものを……」

畝源三郎が笑った。

「まあそれは無理でしょう。久しぶりに狸穴からお帰りになった夜では、嘉助が気をきかすのが当り前です」

「いったい、折戸屋吉之助は、どこへ泊っていたんだ」

照れかくしに、東吾は話をすぐ、そっちのほうへ持って行った。

「それが、わからないのです」

源三郎がいい、輪島屋久兵衛がおろおろと頭を下げた。

「申しわけございません。手前も、このようなことになるのなら、もっと、くわしく聞いておけばようございました」

「知り合いの家ではないのか」

「それがその……」

久兵衛が我がことのように恐縮した。

「どうも、女の家のようでございまして……」

「女……」

「はい、昨年、参りました折に、馴染(なじみ)になったとか申して居りました」

「すると、吉原か……」

「いいえ、素人の娘だそうで……」

東吾が少し驚いた。

「折戸屋吉之助と申すのは、いくつだ」

「手前と同い年でございまして、四十二になります」

「江戸の女が惚れるほどの、男前か」

「左様なことは……何分にも、手前共は田舎者でございまして……」

輪島屋久兵衛にしても、みるからに野暮な人品骨柄である。

「折戸屋に女房子は……」

「ございます。国許で帰りを待って居りますので……」

「それで、江戸の素人娘といい仲になったのか……」

あの、と小さく嘉助が遮った。

「若先生の前で、なんでございますが、昨夜から輪島屋さんのお話をうかがいまして……その……折戸屋さんが馴染になった女子衆というのは……安囲いの女ではないかと存じます」

「安囲い……」

近頃、江戸で流行りはじめたことだと、嘉助がいった。

「囲いもの……つまり月々、然るべきお手当を頂戴して、家を持たせてもらい、旦那の通ってお出でになるのを待つ女とでも申しましょうか」

東吾が笑い出した。

「随分と鹿爪らしい言い方をしたもんだ。囲いものぐらい、俺だって知っている」

黒板塀に見越しの松、女中の一人もおいて、猫を抱いて暮している、けっこうな身分の女が、江戸にどのくらいいることか。

「それが、この節は、あまり、けっこうなことにはなりませんようで……」

世の中が不景気になっていて、大金持はともかくも、なかなか一人の旦那で、月々のお手当は出し切れない。

「何分にも、諸事値上りの御時世でございますから、一軒持たせて、女中の一人もおくことになりますと、そちらのかかりだけでも三両ではすみますまい。食べる、着るの面倒をみるとすると、少くとも月に六、七両はかかりましょう」

外に女を囲って、毎月六、七両の仕送りをするのは、相当の分限者でもないと出来かねる。

「それで、一人を三人、五人の旦那が、かけもちを致しますそうで……」

東吾が、あっけにとられた。

「一人の女に、男が三人も五人も通うのか」

「そのようでございます。女のほうが、やりくりを致しまして、三の日は誰それ、五の日と十の日は誰それ、八の日は誰と、各々、決って居りまして、それでございますと、一人が一両二分ぐらいですむのも居るそうでして……」

それでも、飯炊き女中なら一年分の給金であった。

「ですが、吉原のお職を買うよりも、安く上るんだそうでございます」

どこから聞いて来たのか、嘉助は年の功で、そんな生臭い話を、淡々と話している。

「あきれたものだな、大の男が五、六人もで一人の妾（めかけ）を囲うってことか」

「上方のほうでは以前からあったそうでございますが、江戸もこの節、しみったれた男が居りますようで……」

そうした女のことを、安囲いと呼んでいるらしいが、その中に、地方から商用で江戸へ出てくる者を旦那にするというのも増えていると嘉助はいった。

「年に一度か二度、商売で江戸へ参ります間、その女の家に滞在を致します」

いわば、月決めの妾宅で

「そういう旦那を何人か持って居りますと、それで、けっこうやって行けるそうでして……」

折戸屋吉之助が、この前、江戸で知り合った女というのは、そうした種類の安囲いに違いないといった。

「それにしても、そんな女と折戸屋は、どこで知り合ったんだ」

輪島屋が首をふった。

「手前には心当りがございませんが……」

商用で江戸へ出てくる時は、大方、一緒だが、おたがいに取引先は別々であった。

「この前の時は、二人共、藤屋へ泊りましたが、これといって思い当ることはございませんでした」

夜更けて宿へ泊ることもあったし、朝帰りもなかったわけではないが

「それはもう、取引先から誘われて吉原へ遊びに参ることもございますし……」

商売の間の息抜きで、どちらも固いことはいわなかった。

「その女のことを話してくれましたのは、今度、江戸へ出てくる道中でございまして……何分にも予定が遅れて居りましたので、心配して居りましたが、江戸へ着きまして、すぐに女の家に参り、話がまとまって、その晩から、そちらへ厄介になると、喜んで話して居りました」

輪島屋久兵衛が、吉之助と会ったのは、江戸へ出て来た翌日に、日本橋の石川屋という塗物問屋へ挨拶に行った時で

「石川屋さんには手前共も折戸屋さんも品物をおさめて居りますので……」

それから先は各々の取引先を廻っているので、暫くは会うこともなく、いよいよ、江戸を発つ日が近づいてから、吉之助がかわせみへやって来た。

「ちょうど五日前の朝でございます」

この時に、帰る日の打ち合せをして、出立の前後に吉之助がかわせみへ来る約束もした。

「女のことは、あまり申しませんでした。それよりも注文のこととか、このたびの売り上げのこととか……」

注文されて、はるばる能登から運んで来た品物でも、たまさか、買い手の気が変って、もう要らないと断られることがないこともない。

「そういう時は、おたがいに売り主を紹介したり致しますので……」

「折戸屋は、商売がうまく行ったようだったのか」

東吾が訊き、久兵衛がうなずいた。

「はい、少々の売れ残りはあるが、それも持って行く先のあてがあると申しまして、機嫌がよ

かったのでございます」

女に関して吉之助が、あまり喋りたがらなかったのは

「お役人様の前で、おそれ入りますが、そうした種類の女は、もし、世間に知れますと、お上のおとがめを受けるそうで、女のほうから、固く口止めをされていたようでございまして……」

素人の売春であった。

奉行所の取締りの対象になる。

「江戸をはなれてから自慢話をするつもりで居りましたのでしょうが……」

出発の朝だというのに、未だに姿がない。

「相手の女の名を聞いていないのか」

「お蓮とか申しておりました」

「お蓮か……」

それだけでは、どうしようもなかった。

「折戸屋は、金を持っていたのだろうな」

能登から運んで来た塗物の代金は、かなりのものに違いない。

「この度は、ざっと三百両ばかりになる筈でございまして……」

その中には、能登で細々と塗物を作っている人々の手間賃が含まれている。

「とにかく、今まで待っても当人がやって来ないのは、なにかがあったに違いありません。手

前は、奉行所へ参って、変死人などの届けがあるか調べて来ましょう」

畝源三郎が決断し、輪島屋はとりあえず今日の出立を見合せることになった。

「どういうことで、ございますかね」

帳場に、東吾と二人きりになって、嘉助が呟いた。

「出がけに体の具合でも悪くなったというのなら、使いが参る筈でございます」

考えられるのは、女との金銭的な問題が起って揉めているのか、それとも、最悪の場合は、かわせみへ来る途中、盗賊にでも襲われたかであった。

「しかし、大金を所持しているのなら、陽のある中に、こっちへ来るだろう」

田舎から出て来た者が、暗くなってから、江戸の町を一人歩きするというのは不自然であった。

「女の家がわからないというのが、厄介だな」

そこへ、お吉が迎えに来て、東吾は、るいの部屋へ戻った。

すっかり、身じまいをしたるいが、昼飯の仕度をととのえて待っている。

東吾をみて、二人だけに通じる微笑をみせた。

「起きて大丈夫か」

傍へすわって、そっといった。

「無理をしないほうがいいぞ」

「存じません」

そむけた顔が、はにかんでいる。

「俺たちが知らない間に、とんだことが起っていたんだ」

輪島屋と折戸屋の話をすると、るいは眉をひそめた。

「悪いことが、あったのでしょうか」

「昨日の中に来る約束が、今になっても音沙汰なしだ。ま、なにかあったと思って間違いはないだろう」

安囲いの女の話をしているところへ、深川の長助がやって来た。

「畝の旦那が、お待ちで……」

「変死人があったのか」

「いえ、なんにもないので、とりあえず、日本橋の藤屋から当ってみようとおっしゃっていま す」

気軽く、東吾は腰を上げた。

畝源三郎は、豊海橋の袂で待っていた。

「どうも、からっきし、手がかりがありませんので、最初から調べてみようと思います。東吾さんのお智恵を拝借したいので……」

「こう暑くっちゃ、たいした智恵も浮ばねえが……」

藤屋から手をつけるより仕方がないと東吾も考えていた。

輪島屋と折戸屋が江戸へ出て来た時の常宿である。昨年まで、二人は毎年藤屋に滞在していた。変化が起ったのは、今年のことである。

日本橋の藤屋は表通りから、ちょっと入ったところにあった。

入口は狭いが、奥が深い、鰻の寝床のような造りである。

ちょうど、宿屋稼業の一番、暇な時刻だったので、源三郎は、藤屋の番頭の栄五郎と女中頭のお君を帳場の奥の小部屋へ呼んで、話を訊いた。

「輪島屋さんも折戸屋さんも、六年ほど前から、手前共を常宿にして下すって居ります」

紹介してくれたのは、同じく日本橋の塗物問屋の石川屋であった。

「お二人とも、毎年、夏のはじめにお出でになって半月余り、御逗留なさいます」

どちらかといえば大人しい、いい客で、女をつれ込んだり、酒を飲んであばれたりというようなことは一度もなかった。

「昨年は、どうだったのか、二人は毎夜、きちんと帰って来ていたのか」

源三郎が訊き、番頭がぼんのくぼに手をやった。

「そう申せば、輪島屋さんが能登にお帰りになる少し前に三日ばかり、他へお泊りになったことがございました」

「どこへ泊ったんだ。吉原か……」

「いえ、成田山へおまいりにお出かけになったんでございます」

「輪島屋一人か」

「いえ、石川屋さんと御一緒で……」

「その間、折戸屋はどうしていた」

「あちらは毎日、御商売のことでお出かけになっていましたが、夜はきちんとお戻りになりまして……」

東吾が念を押した。

「成田山へ行ったのは輪島屋だな。折戸屋のほうは、その間、江戸にいた」

「左様でございます」

「折戸屋が、安囲いの女の話をしたことはないか」

女中頭のお君へいった。

「そういう世間話をしたおぼえはないか」

「ございます」

お君の返事は、はきはきしていた。

「折戸屋さんが、取引先できいたといって、本当に、そんな女がいるのかと、きかれたことがございます」

「そういう女を世話してくれと折戸屋からたのまれなかったのか」

「そんなことはいわれませんでした。もし、いわれても、私は知りませんし……」

番頭がきっぱりいった。

「手前共では、お客様にどのようにいわれましても、女をお世話することは固く禁じて居ります。もし、なにかありました時には、手前共の暖簾に傷がつきますし、お上のおとがめを蒙(こうむ)ることになりますので……」

奥から若い女中が顔を出した。

「番頭さん、お辰さんが、今日、鍼（はり）はどうしますかって……」

「今日はいい、次の時に頼むといいなさい」

源三郎へ頭を下げた。

「どうも申しわけがございません。お泊りのお客様で鍼の療治をなさる方がございまして、出入りの按摩を呼んで居ります。大層、よく効きますので、手前も時折、療治を受けて居りますので……」

東吾が源三郎にいった。

「すまないが、宿帳をみせてもらいたい。出来れば、ここ三、四年の分を、まとめてみたいのだが……」

番頭が宿帳を運んでくると、東吾は源三郎に石川屋で、昨年の成田山詣での件をたしかめてくれるように頼み、自分は腰をすえて宿帳をめくりはじめた。

「かまわないから、仕事をしてくれ。用があったら呼ぶ」

番頭も女中頭も遠ざけて、東吾はその小部屋に閉じこもった。

宿帳をみていてわかったのは、藤屋の客の大半が常連ということであった。かわせみ同様、ここも、それほど部屋数が多くはない。

常連の客は、大体、年に一回か、多い者で二、三回、江戸へ出て来て藤屋に泊っている。

「どうも、ありがとう存じました。又、よろしくお願い申します」

女の声がして、東吾は開けはなしてある障子のむこうをみた。

四十五、六だろうか、粗末な身なりの女が番頭に挨拶をしている。手に木綿の風呂敷に包んだ四角いものを下げている。

「あれは、誰だ」

たまたま、茶を運んで来た女中に訊いてみると

「お辰さんです。鍼の療治をする人です」

という返事であった。

「なかなか、上手だという話だったが……」

「お客様の評判は、いいんです」

「よく来るのか」

「気の毒な身の上の人だからって、うちのおかみさんが、お客を世話してあげていますから……」

「気の毒とは、どういうことだ」

話をききつけて、番頭が傍へ来た。

「お辰さんでございますか。あの人は、以前、上野の広小路で、けっこう大きな八百屋のおかみさんでございまして……それが、御亭主が急病でなくなったあと、たよりにしていた親類に、店をすっかりいいようにされて、娘さんと二人、谷中のほうにあった家作に移りまして、鍼

灸(きゅう)の療治をなりわいにして細々と暮して居りますんで……」

「娘というのは、いくつだ」

「二十四、五になる筈ですが、病身でして……お辰さんが鍼をするようになったのも、そもそもは、娘のためだったときいて居ります」

一刻(いっとき)ばかりして、石川屋へ行った源三郎が戻って来た。

「石川屋が輪島屋と成田山へ行ったのは間違いありません。最初は、折戸屋も誘ったんだそうですが、能登から江戸へ出てくる途中で痛めた腰が、どうも具合がよくないというので、大事をとって江戸に残ったそうです」

成田山への旅は、ごく普通のもので、道中、格別、変ったこともなかったという。

「俺のほうは、おかしなことをみつけたよ」

折戸屋ではないがと前置きして、東吾は宿帳をめくってみせた。

佐原の醤油問屋で西嶋屋文右衛門という名前であった。

「毎年、二度ずつ、江戸へ出て来て藤屋に泊っているんだが、昨年の春から宿帳に名前がないんだ」

源三郎が苦笑した。

「それは、なにかの都合で江戸へ来なくなったか、他の宿へ移ったのか」

「番頭に聞いてくれないか」

源三郎が声をかけ、番頭は少しばかり困った顔付でやって来た。ぽつぽつ、客の到来する時刻であった。

「佐原の西嶋屋さんでございますか、そちらは、とんだことでございまして……」

毎年、春の三月と、秋の十月に江戸へ出て来て、藤屋に泊っていたのだが

「昨年の春、いつも、お出でになる日が来ても、なんの音沙汰もございません。どうなすったのかと思って居りますと、三月の末になって、佐原から息子さんと番頭さんがおみえになりました。旦那の文右衛門さんが、未だにお帰りにならないとかで……」

例年のように佐原を出て、江戸では藤屋へ泊るといって出たきり、戻って来ないときいて、藤屋のほうでは仰天した。

「まるで、手前共にはおみえになっていらっしゃらないのでございます」

道中で難に遭ったか、それとも、どこかに女でも出来たのかと、随分、手を尽して調べたものの、結局、なにもわからずじまいで未だに、行方知れずだといった。

「どうも、手前共に致しましても、あまり寝ざめがよくございません」

小僧の年から藤屋に奉公している番頭にしても、あとにも先にも西嶋屋文右衛門一人だという。

二

三日がすぎても、折戸屋吉之助の消息は知れなかった。

止むなく、輪島屋久兵衛は一人で江戸を発ち、能登へ帰った。

「故郷へ戻りまして、折戸屋の家族になんと申してよいか、気の重いことでございます」

冴えない顔で、輪島屋が出立してから、東吾はそれまでに考えていたことを、源三郎に話した。源三郎が承知して、更に二日。

八丁堀の神林家で、兄嫁の丹精の朝顔に水をやっている東吾の所へ、畝源三郎がやって来た。

「とんだことが、わかりましたよ、東吾さん……」

日本橋から神田にかけての宿屋を調べたところ、客の中から三人もの行方不明がみつかったという。

いずれも、西嶋屋文右衛門と同じで、毎年、商用で江戸へ出て来た客が、或る年、急に姿をみせなくなったと思っていると、国許から問い合せがあって、いつまでも帰って来ないが、病気でもしているのかと訊かれ、今年は、まだ、おみえになって居りませんと返事をすると、先方が仰天する、が、どう調べても、行方はわからず、家族の中にはもう死んだものとあきらめて、江戸へ出発した日を命日に決めている者もあるという。

三人の中、一人は水戸、一人は小田原、もう一人は大坂から江戸へ来た者で、共通しているのは、一人旅なこと、江戸へ集金に来ていて、行方知れずになった時も、何故か常宿へ姿をみせないくせに、取引先にはちゃんと出かけて金を受け取っていることであった。

「西嶋屋もそうでしたが、常宿へ泊らないのに、取引先へ行って商用をすませているというのは、常宿でない、どこかに寝泊りしていたことになります。その上、みんな、かなりの金を手にして、いざ、国許へ帰ろうという時になって行方知れずになっている点です」

それは、折戸屋吉之助も同じであった。

「五人か……」

東吾が呟き、源三郎がいった。

「おそらく、五人とも殺されて居りましょう。目的は金です」

「源さん、その五人について、もう少し、調べさせてくれ。たとえば、女のこと、どんな細かなことでもいいんだ」

その一方で、深川の長助は、これも東吾の指図で走り廻っていた。

いわゆる、安囲いの女である。

長助一人ではなく、源三郎から手札をもらっている岡っ引が町の噂を集めて歩いたのだが報告に来た長助が目をしょぼしょぼさせた。

「けっこう、いるもんですね」

「裏店住いの、その日暮しの家の娘で、器量のいいのが、そうした囲い者になるとばかり思っていましたが、近頃は、小商いでもしているような家の娘なんぞまでが、安囲いの女になって、三人だの、五人だのの旦那のかけもちをしてやがるんです。どういう料簡で、そんな女になり下るのか、江戸の女もおしまいですねえ」

がっかりしているのは、そうした女たちをどう調べてみても、行方不明になっている五人の男を旦那にとった女がみつからないことで

「まあ、女の風上にもおけねえ連中ですが、人を殺して、金を盗るなどの度胸はねえようでし

て……」

今のところ、あやしい女はいないという。

「俺の考えが、間違っているのかな」

東吾も、ぼんやりしているわけではなく、長助と一緒に、江戸の旅籠屋を一軒一軒、当って歩いた。

流石(さすが)に、公方様のお膝元だけあって、地方から商売で江戸へ出てくる人間の数は相当のものである。

その日、東吾は神田の旅籠屋を廻っていた。

三河屋という宿の入口で、女とすれ違った。

どこかでみたようなと思うまでもなく、すぐ気がついた。

お辰という女療治師である。相変らず、洗いざらしの木綿物で、そそくさと路地を出て行った。

「あの女は、ここに、よく来るのかい」

三河屋の女中に訊(たず)ねると、はい、という返事だった。ここでも、お辰の鍼は、客に評判がいいらしい。

この三河屋は、行方不明になっている五人の中の一人が常宿にしていたところであった。水戸の雑穀問屋の岡島芳次郎である。

長助が帳場の番頭に、岡島芳次郎のことを訊ねていた。もう何度目かのお調べで、訊くほうもネタがなくなっているし、話すほうも困り切っている。

「そういえば、芳次郎さんも、よくお辰さんの鍼療治を受けていましたよ、あの旦那は肩こりがひどくて、按摩じゃ駄目だ、鍼が一番よく効くといってね」

東吾の脳裡にひらめくものがあった。

「お辰という女の住いはどこだ」

「谷中です。仏心寺という寺のすぐ裏だそうですが……」

その足で、東吾は長助と谷中へむかった。

谷中は寺ばかりというが、仏心寺もその一つで境内は狭いが、裏に墓地があり、その先には湯灌場(ゆかんば)まである。

「どうも、いけませんや、死人の臭いがするようで……」

空模様のよくない夕暮時であった。

風が止って、じっとりと汗ばむような蒸し暑さであった。

お辰の家は、墓地のちょうど後にあった。

小さな一軒家で、みたところ、そんなに荒れてはいない。

「よく、こんな所に住めますね」

仏心寺で聞いてみると、お辰は娘と二人暮しとのことであった。

「滅多に人が訪ねてくることはありませんが、時折、お辰さんの鍼療治を受けにやってくることもありますよ」

昼でも人通りは少い場所であった。夜になったら、まず来る人はあるまい。

「お辰の娘は、病身だそうだが……」

東吾がいい、仏心寺の寺男が首をかしげた。

「さあ、そんなこともありますまい。下谷のほうの知り合いの家へ出かける時は、めかし込んで行きますよ」

「下谷……」

「ええ、噂じゃ、そこで旦那をとっているって話ですが……」

「なんという名前なんだ、お辰の娘は……」

「お蓮っていいますが……」

長助がとび上って驚いた。

「若先生……」

折戸屋吉之助が、輪島屋久兵衛に打ちあけていた女の名前であった。

「長助、念のためだ。調べてみろ」

行方知れずの五人が各々、泊っていた宿に、お辰が鍼の治療に出入りをしていたか、五人が、彼女の療治を受けたことがあるか、調べてみると、間違いなく、五人共に肩だの、腰だのを病んで、お辰の厄介になっているのがわかった。

お蓮が、旦那を取っているという下谷の家も、すぐにみつかった。

張り込んでみると、お辰、お蓮の母子は殆ど下谷の家のほうで暮していて、たまに、谷中の家へ帰るようであった。

下谷の家には、日を決めて通ってくる男が三、四人いる。

その一人が、甲府から来ている材木商というのも知れた。

江戸での集金を終えて、明日は甲府に帰るという夜、下谷の家から男と女が出かけた。行く先は谷中、仏心寺の裏にある、もう一軒のお辰の家であった。

「おっ母さん、旦那が明日、お発ちになるから、いつもの療治をお願いしますよ」

家の中に灯がともって、男は布団にうつ伏せになり、お辰は鍼を取って背中に廻る。

「この療治をすると、一日に五里や六里、歩いても、なんということはありませんから」

いいながら、お辰の手が男の首筋をさぐって、右手にはいつの間に持ちかえたのか、畳針のような太い、鋭利な凶器を摑んでいる。

男の首に、それが打ち込まれようとする一瞬、畝源三郎と東吾がとび込んだ。

家の外には、長助と捕方が張り込んでいる。

お辰とお蓮は、その場でお縄にかかった。

命拾いをした材木商は、自分の首筋に打ちこまれる筈だった針を眺めて真青になり、がたがた慄(ふる)え出した。

三

「それじゃ、五人共、お辰さんが殺して、お金をとっていたんですか」

谷中のお辰の家の床下から、五人の男の死体が、なかば腐りかけて発見されてから三日目の夕方、かわせみのるいの部屋には、東吾と源三郎、それに長助が、るいの心づくしのお膳を前にして祝盃をあげていた。

「お辰は、鍼の療治にかこつけて、旅籠へ出入りし、治療を受ける客の中から、いいかもをみつけて、まず、娘の旦那にしたんだ」

鍼をしながら、世間話のように、安囲いの女の噂をする。

「今どき、月に一両二分で、素人の女に夜伽(よとぎ)をさせた上に、身のまわりの世話から、宿屋がわりにもなろうというのだから、助平心のある連中は忽ち、ひっかかる」

下谷の家で、お蓮はせいぜい客に尽しておいて、いざ江戸を発つ前に、道中のために鍼の療治をしておくといいと言葉巧みにさそい出して谷中の家へ連れて行って、お辰が首の急所に針を打ち込んで殺害をした。

「なにしろ、さんざん、鍼の療治をしてもらっている相手だから、客のほうも疑いもしない。無抵抗のまんま、あの世へ行くという寸法だ」

「それにしたって、なんで、そんなむごたらしいことを……」

娘が安囲いであれ、旦那をとっていれば、生活には困るまいし、少々の贅沢(ぜいたく)も出来ないわけではあるまい、とお吉が不審顔をした。

「源さんに、お辰がいったそうだよ。男が憎い、男ほど油断のならないものはないとさ」

彼女の告白によると、お辰の夫は、妾の家で、急に発作をおこして死んでいる。

「そういうことがあるまで、お辰は亭主が妾を囲っているとは、夢にも思っていなかったんだそうだ」

亭主に裏切られたあげくに、今度は、亭主の弟が力になるという口実でお辰を自由にしたあげく、財産を取り上げると、お辰を店から追い出した。

「これじゃ、男を怨んでも仕方がないが、殺された男たちは、たまったものじゃない」

東吾も源三郎も、女の怖しさに、ぞっとしたのは、谷中の家の床下に、殺した男たちをかくしておいて、お辰もお蓮も、平気で、この家に出入りをしていたことで
「どうも、まともとは考えられません」

最初に、東吾と谷中の家へ行った時、長助が顔をしかめた死臭は、墓地からのものでも、湯灌場からのでもなく、お辰の家の床下からだったと知って、暫くの間、長助は食欲を失った。

「いやな事件でした。しかし、東吾さんがおかしいと気づいてくれなかったら、お辰とお蓮は、まだ、人殺しを重ねていたでしょう」

苦い酒を汲みかわして、夏の夜はひっそりと更けた。

その月の終りに、東吾は方月館の稽古のために、八丁堀から狸穴へむかう途中で、罪人のひき廻しをみた。

お辰とお蓮で、奉行所が二人に申し渡した罪科は、獄門であった。

どちらも、お上の許しを得たのか、晴れ着姿であった。

それも贅沢な縫いや絞りのあるもので、盛夏には暑すぎる袷(あわせ)の重ね着であった。

娘に旦那をとらせ、自分は人殺しをして得た金で、女たちは高価な着物を買い、束の間の楽しみを味わったというのだろうか。

群衆が遠巻きにする中を、二人の女を乗せた馬が遠ざかり、あとには乾き切った道とぎらぎら輝いている太陽の翳(かげ)が残った。

夏は、今が盛りのようである。

初出　「オール讀物」昭和60年12月号～61年7月号
単行本　昭和62年6月文藝春秋刊

文春文庫

一両二分の女　御宿かわせみ9

定価はカバーに
表示してあります

1990年5月10日　第1刷

著　者　平岩弓枝

発行者　豊田健次

発行所　株式会社文藝春秋

東京都千代田区紀尾井町3—23　〒102

TEL　03・265・1211

落丁、乱丁本は、お手数ですが小社営業部宛お送り下さい。送料小社負担でお取替致します。

印刷・凸版印刷　製本・加藤製本

Printed in Japan

ISBN4-16-716847-2

文春文庫　フィクション

文春文庫　フィクション

文春文庫　フィクション